不倫と南米
世界の旅③

吉本ばなな

幻冬舎文庫

不倫と南米　世界の旅③

目　次

本文イラスト　原マスミ
本文写真・デザイン　山口昌弘

電話

私は仕事でブエノスアイレスに出張することになった。アルゼンチンを訪れるのははじめてだった。どうせなら、街の様子がよくわかるなるべくにぎやかなところがいいと思って、フロリダ通りという商店街みたいなところに面しているという高級ホテルを希望した。

しかし、着いてから会ったガイド兼通訳の日系人の男の人があやまりながら、予約が重なっていて、希望のホテルがいっぱいだったから、初日だけは別のホテルを取った、と言った。私は旅で疲れていたので特に不平を言う気にもならず、同じクラスならどこでもいいです、と言った。どうせ初日の夜は寝るだけだからだ。

たどり着くまで、ロスとサンパウロ経由でいやというほど飛行機に乗った。最後のほうはやることがなくなってきて、本当にうんざりした。勤め先の経費と人数のつごう上、ひとりだけでの出張は珍しくなかったけれど、これほど時間がかかるところに来たのははじめてだった。

私は、インテリアだけでなくレストランの内装やメニューや料理など、すべてをデザインする会社で、社長のアシスタントをしている。今回の依頼人はアルゼンチン人と結婚してアルゼンチン家庭料理のレストランをはじめる夫婦だった。

私のボスは、そういう時安い素材で「アルゼンチン風」をなんとなくこぎれいにやろうとすることがどうしてもできない職人肌の人で、時間があれば本人が必ず現地におもむき、時間がない時はいくつかの言葉を話すことができる私がひとりでその国に行き、たくさんの店をめぐりその内装を写真に撮った。結局できるものは東京にありがちな本場もどきの店には違いないが、ボスは必ず工夫をしてオーナーの趣味を上手にちりばめたり、予算がなければないなりにすべての条件を考慮して、生き生きとした店を作る魔法を知っていた。できあがって誰もいない店内を見た時にはたとえ物足りなく感じられても、人が入ると店はにわかに活気づき、たいていはとても繁盛した。私はその魔法が働く瞬間を見るのが好きだった。私の撮ってきた写真が店のどこに根付いているのかを見るのも好きだった。もともとは写真家志望だったが、今の仕事にとても満足していた。

はじめて見たブエノスアイレスは、ヨーロッパの街並に確かに似てはいた。しかし、そこに息づく濃厚な南米のムードは至るところから漂い出て、すべてを覆いつくしていた。壁の落書き、広告の激しい色彩、ごみの舞う舗道、見たこともない街路樹は激しく枝を伸ばし紫や赤の花をつけ、子供たちはどんな狭いところでも空間さえあればめったやたらにサッカーをしていた。空の青も、強烈だった。押さえても押さえてもにじみ出る南米の大地の力が街を行く人々の顔に刻み込まれていた。

ホテルは街いちばんの高級ホテルということだったが、やはり繁華街からは離れていて、周囲の雑然とした街並からすっかり浮いている近代的な建物だった。タクシーが並びベルボーイやドアマンが制服を着てきびきびと立ち働いている、豪華な正面入り口の自動ドアの真正面に、なぜか十代の女の子の大群が……きっと五十人はいただろう……鈴なりになって思い思いのことをしながら、きゃあきゃあ騒いでいた。雑誌を持っている子も、垂れ幕を持っている子もいた。誰か有名なロックスターが泊まっているのだろう。みんな髪の色も服の色もそれぞれ違っていて、まるで小さな花瓶にぎゅうぎゅう詰めにささった色とりどりの花のようだった。徹夜覚悟のその集団を、ホテル側もロビーにこそ入れないものの追い出しはしないようで、かわいい光景だった。街の雑踏を彼女たちが運んできてくれたような感じだった。

☽

ビジネスマンだらけのロビーを抜けて部屋にたどり着き、とにかくシャワーを浴びて、夕食をとりにレストランに降りて行った。ヨーロッパに来たかと思うような品のいいレストランだった。すごい分量のパスタをゆっくり食べ、一応ちょっと写真も撮って、部屋へ戻った。やっと髪の毛をほどいて、ブラジャーもベルトもタイツも脱いだ。三十数時間ぶりで体をゆるめたのだ。

しかし体はまだこり固まっていて、ぱんぱんにむくんだ足は今にもつりそうだった。窓の外には温室みたいに見えるプールの屋根と、古い、壁がくずれかけた教会が見えた。ホテルの正面玄関から見ると正反対の側だったが、教会の脇の舗道の小さな芝生のところに、グルーピーの少女たちのまた別の一団が見えた。芝生の上に毛布を敷いて、何人かで毛布にくるまっていた。玄関での張り込みの子たちとは別に、この子たちはロックスターが夜の街を見下ろす瞬間を待って、窓を見上げて徹夜するのだろう。いくつかのそういう白い固まりが闇の中にぽつりぽつりと浮いて見えた。

私はバスタブに湯をはって、しっかりと湯につかってから軽い睡眠薬を飲んでさっさと寝ることにした。そして小さなバスタブに横たわった。

ホテルの生活でいちばんいやなのは、風呂に入ると着替えから洗面道具からすべてが湯気で湿ってしまうことだ。いちばんいいのは、掃除や炊事をしなくていいことだ。湯に入ったらさすがに体の疲れは溶けていって、もう少しで眠ってしまいそうだった。熱い湯を少しずつつぎたしていったら、その小さな鋭い水音に誘われて、体の奥底に潜んでいた眠気が体の表面ににじみ出てきた。はじめての土地に来て研ぎ澄まされていた心身の緊張が、熱い湯の流れにほぐされていくのを感じた。疲れは生き物のように私の体内に、硬くうずくまっていた。

どのくらいそうしていただろう、私はゆだってふらふらになりながら裸で部屋に出て、効きすぎた冷房すら心地よいと感じながら、冷蔵庫を開けてビールを出し、その冷たいビールでついでに弱い睡眠薬を飲んだ。時差ぼけを一挙に解消しようと思ったからだった。

スペイン語ががんがん流れてくるTVを観ながらビールを飲んで、タオルを巻きつけただけの姿でいたらだんだん寒くなってきて、冷房を弱くした。そのうるさかったエアコンの音が小さくなった時、部屋の静けさを強く感じた。私以外生きて動くものはなく、じゅうたんの灰色は薄暗くぼんやりと光り、落とした照明が足元と手元だけを照らし、TVのちかちかする明かりが部屋中を満たしていた。だんだんいてもたってもいられないくらい眠くなってきて、私は寝まきをスーツケースから出そうと立ち上がった。その時、電話が鳴ったのだ。

睡眠薬が効いてきて頭がぼんやりしていたせいか、電話機がやけに白く見えた。呼び出し音は妙にくぐもって響いた。部屋の中いっぱいににじんわりとしみて静けさを押しのけるような音だった。電話機にはレセプションだとか、ルームサービスだとか、外線電話だとか、モーニングコールだとかの番号がイラストで描かれていた。私は受話器を取ろうとしながらぼんやりとそれを見つめていた。

時計を見ると夜の十二時過ぎ、日本はちょうど正反対のお昼時だから、きっと無事着いたかどうかボスが確認でかけてきたのだろう、と思い込んで取った。

「もしもし。」

私は言った。しかしものすごい雑音が聞こえてくるだけだった。そこで寝ぼけた頭で私ははじめて思った。あれ？　私がこのホテルに変更になったことは、まだ誰も知らないはずだ。

「もしもし？」

もう一回大声で言ったら、ごうごう、ぷつぷつという雑音の向こうから、かすかに女の人の声がした。ボスではないし、この雑音は明らかに国際電話のもので、部屋から部屋へかけて間違えたものでもなさそうだった。

よくよく聞き取ろうとすると、すごく小さな声で、しかも日本語でなにか言っている。私は言った。

「もう少し大きな声で話してください！」

すると、今度は一語一語、大きな声でその女の人は言った。

「今朝、宮本が、交通事故で亡くなりました。大変お世話になりました。」

雑音は変わらないのに、なぜかものすごくはっきり聞こえた。とても音のきれいなスピーカーから聞こえたような澄んだ響きの言葉のひとつひとつが、耳元で強い意味を持って体の中に入ってきた。ダイビングをしていて、海の中では身振りだけで考えを伝え合っていたから言葉は交わしていないのに、海面に出た時、すごくその人としゃべった後のような気がしているのによく似ていた。別に雑音が消えたわけではなく、精神がそれを排除しただけだった。集中して、ぐっと心の距離をつめて、コミュニケーションした時特有の聞こえ方だった。意味だけが直接入ってくる。

「えっ？」

と私が言うと、魔法が解けたように部屋の中に現実味が戻り、雑音も戻ってきた。そして電話がぷつりと切れた。

私はかすかにＴＶから音楽が流れている薄暗くて静かな部屋の中に放り出された。私はそれからどのくらいただ呆然と電話機のイラストを眺め、グラスを持ち上げてビールをひとくち口に入れるのをくりかえしていただろう。ビールが次第にぬるくなり苦味が増していくのをじっくりと感じていた。

しかも疲れがゆるんだ体に入った睡眠薬は次第にその力を最大に発揮しはじめ、なにも考えられないほどまぶたが重くなってきた。しかし意識は覚めきっていて、さっきの電話の意味を強く感じ続けていた。

雅彦の奥さんからの電話だということはわかった。どうしてここがわかったのだろう？　しかしこうしてなにげなく思っているその「雅彦」がもうもしかしたらこの世にいないかもしれないということが、どうしてもぴんとはこなかった。

不思議だった。

ためしに雅彦の携帯電話に電話をしてみたが、留守番電話サービスにつながるだけだった。何回かけてもそうだった。この電話はどこで鳴っているのだろう？　病院？　雅彦の遺体のそば？　などと悪い想像はとめどなく広がり、心が逃避するあまりにうまく画像が浮かばず、雅彦の電話って黒かったっけ？　それともパールホワイトだったか？　ということをいつの間にかぐるぐる考えていた。

私は洗った髪の毛が冷えてくるまでそこにすわっていたが、ふらふらと立ち上がった。濡れた体で長いことすわっていたから、ベッドにはまるでおしっこしたみたいな丸い跡がついていた。とにかく寝まきに着替えて、なぜか窓辺に立ってもう一回外を見た。

こころもちが違うと目に映るものも違って見えてくる。女の子たちは毛布にくるまって白い花がぽつぽつと咲いているように芝生の上にいた。さっきまではなんとご苦労なことよ、と思っていたのに、今では一晩中スイートルームを見上げている彼女たちの様子がとてもスイートに見えて、うらやましくさえあった。好きな人が眠る近くにいるだけでも楽しいのだろう。友達と夜明かしするだけで嬉しいのだろう。闇の中の毛布は、天使の羽のようにも見えた。

雅彦の自宅に電話をして奥さんと話そうかとも思ったけれど、もしも死んだのならしゃべってもしょうがないし、もしも奥さんが最後くらいは私にも知らせてあげようという気持ちだったのなら、恩をあだで返すことになってしまう。愛人はどんなに仲が良かろうと愛人にすぎない。

私はあきらめてとにかく寝ることにした。疲れていなくて、睡眠薬も飲んでいない朝の光の中で考えよう、と思った。もしも死んだのなら、じたばたしてももう仕方ない、と思う度に、ショックが襲ってきて体がしびれたようになり、頭がキーンという音を立てて、四方八方から押されているような落ち着かない感じがした。体の中では驚きとショックが波うって大あばれをしているのに、部屋は見たこともないはじめて泊まる部屋で、静まり返っている。

妙なとりあわせだった。なにもかもがちぐはぐだった。

私はTVをつけたまま寝ることにした。やはりずっとどこかが覚醒していて、悪夢を見て何回も目を覚ましたが、今や現実のほうが悪夢なので、どこにいてもそう気分は変わらなかった。外のかわいい女の子たちの色とりどりの服装や髪形のことを思って心を暖めて寝た。美しい花々、眠りの見張り番。

出発の前の夜、お互いに忙しかったので、成田のホテルで夜中の二時くらいに落ち合った。ドアを開けると疲れた様子の雅彦が「おにぎり作ってきたから食べよう。」と紙袋を差し出した。彼は料理研究家で、四年前に仕事で知り合った。当時私はまだ二十六歳だった。彼は五歳年上だったが、なぜか意気投合して、すぐにつきあいはじめた。気がついたらつきあっていたという感じで、いつからつきあい出したっけ？という話になると、お互いに首をひねった。

「ホテルのお茶でいい？」

と言って、私は電気ポットでお湯をわかして備え付けのティーバッグの日本茶を淹《い》れた。

「なんでこんなに散らかってるの？　一泊なのに。」

雅彦が言った。

「だって、今、荷作りしているんだもの。とりあえずみんな詰めて、がむしゃらに持ってきたのよ。それを、今、詰め直しているんだけれど、なぜか、ぐちゃぐちゃに詰めた時には入ったものが、たたんで整理したらどうしても入らなくなって、そのことで考え込んでいたの、今。」

「そんなこと、あるわけないだろう？」

「だって、ほら。どうしてもこのスーツが入らないの。」

「カメラを二台とも手荷物に入れたら？」

「重いからそれを避けたいのよ。」

「じゃあ、もう一回ぐちゃぐちゃに詰めてみれば？」

「それもやったけれど、だめなのよ。」

「じゃあ君、あわてたあまりなにか奇蹟的なことをしたんだね、偶然。」

「そうとしか思えない。」

そんなことを言い合いながら、雅彦の作った妙に洒落たおにぎりを食べた。小さくて、いろいろな具が入っていて、見ためも愛らしく整然と並べられてタッパーに入っていた。

「これ、ごまがききすぎじゃない？」

「俺もそう思った。口がぱさぱさするもんな。写真撮る時はいいけど、現実ではつけすぎだ。」

「まぶしてあるごまの味のほうがごはんよりも重いもん。」

「君、歯にごまがびっしりついていてこわいよ。」

「なんであなたはつかないの？」

「食べ方が器用だから。」

「ふうん。」

　前からよく思った。こんな会話を私としているようでは、夫婦はなにも話すことがないのではないだろうか？　と。しかし、目に見えないことを想像するのはいやなので、いつも考えないようにしていた。奥さんにはとっくにばれていたが、奥さんも実家の店を手伝っていて忙しかったし、週に三日は実家に泊まり込んでいたし、子供もいないし、全員が忙しかったからこそ波風があまり立たずに成り立っている生活だった。都会でしかありえないばかな設定だった。大人のようで実はまだ全員が子供という、よくある話だった。

現代人は多くの人に会いすぎるから、恋愛をするなというほうがむつかしい。特に双方が忙しく働いていれば、不倫でも続けるのは簡単だった。環境のせいにしているが、その環境がこういう恋愛を成り立たせている限り、責任は環境にもあるのだろう、と思っていた。そのうち、なにか抜き差しならないことが起こり……たとえば私の妊娠とか、先方の妊娠とか、先方の親が死ぬとか、私の勤めている会社がつぶれるとか、外的な力が加わって事態は動くのだろう、と思っていた。まだ若くて子供じみているというのが、なにか外的な力で、本物の人生の重みに多少は変わらざるをえなくなる瞬間が来るだろうと思っていた。子供じみているのを恥じているのではなく、成長の瞬間を逃したくないだけだった。その時の自分の考え、いかに受け止めるのかに信頼を置き、ゆだねようと思っていた。特に現代では、永遠には続かないのは恋愛も結婚も変わりない。

荷作りを手伝ってもらって、二人とも夜明けにへとへとになってセックスもしないで寝てしまった。手をつないで。

そして、起きたらもうお昼で、部屋がおにぎり臭かった。

　彼は空港まで送ってくれた。車の中で午後の光が千葉の緑を照らすのを見た。彼は私のスーツケースをごろごろと引いて、あの長くうっとうしいエスカレーターを昇ってくれた。雅彦の靴のひもがほどけかけていたので、一回止まって結んだ時、それを指摘するためにかがんだ私と彼は頭をぶつけた。固い頭だと言い合って疲れで少し険悪になり、これではいけないと食事をおごった。油っぽい麺類だった。だんだん淋しくなってきて、雅彦も、

「空港っていやだね。淋しくて。」

　と眉毛を情けなく八の字にした。出国の荷物チェックのところで、いつまでも手を振っていた。

☽

　朝、起きても、まだ私は驚いたままだった。そして、仕事の支度をしている時、役立つからと言って手荷物に入れてきたタッパーを見つけた。もう、おにぎりの匂いはしなかったけれど、私はそれを抱きしめて少し泣いた。

　愛人に残されたものはタッパーだけだ。

撮影は、私が感情をなくそうと思いやたらにてきぱきしていたせいか、恐ろしく順調に進んだ。通訳兼ガイドさんと共に、十軒近くの店をまわり、飲み、時には食べ、いろいろな写真を撮った。私は機械のようだった。

あまりにも仕事が進みすぎて、午後丸々予定が空いてしまった。ボートに乗りに行くか、買い物か、教会でも行くか、とガイドさんは言い、私は、地元の人が何回か口にしていたルハンのマリア様を見に行こうと言った。

何回も聞いたのは、そのマリア様を運んでいた馬車がそこでどうしても動かなくなってしまったから、その場所に教会を建ててまつったという話だった。アルゼンチンの守護神であり、交通安全の守り神だとも聞いた。いろいろな奇蹟が起こったという話もあった。死んだのなら今さら奇蹟もなにもないが、雅彦が天国に行けるようにお祈りくらいはしようと思った。

車に乗って、一時間ちょっとのところに、その小さな街はあった。これといって特徴のないほのぼのした風景の中に、土産ものの屋台が連なる小さな広場があり、ヨーロッパに比べてずいぶんさっぱりとした感じの古めかしい教会の二つの塔が見えた。中はがらんとしていて、ステンドグラスも地味だった。なんということのないその教会の、いちばん奥の、しかも正面の祭壇の裏側の高い高いところにそのマリア像はさりげなくあった。とても小さくて、頭はもっと小さくて、金色に光っていた。水色の服を着ていた。そして観音様のように、小さな手を胸の前で合わせているのが見えた。遠くて表情もよく見えなかったけれど、お顔が黒ずんでいてとても古そうだった。

私は、雅彦がどうであれ苦しみませんようにと、ただ祈った。思い出や思い入れが入り込むすきもないほど、熱心に、十分間と決めて時計のアラームをセットし、血管が切れるくらい集中して祈った。悲しいのは私だが、死んだのは本人で、いちばん驚いているのは本人だろうから、とにかく地上から私のこの祈りのエネルギーを注ぎ込めるようならすべて彼に注ぎ込み、安らかになるように、と思った。私の異様な祈り方になんらかの事情をかぎとったのだろう。ガイドさんは散歩に出てしまった。私はその、扉が閉まった音をうしろに聞きながら、なお祈った。鼻血が出るくらい必死で、彼にしてもらったいいことだけに感謝し、いやだったことはなかったことにした。

ピッとアラームが小さく鳴り、祈り終わった時、集中しすぎたらしく本当に鼻血がたらりと出た。ぬぐった手の甲に血が線をひいた。雅彦はきっとたくさん血を出しただろう、と情報が少ないなりに考えたら、悲しいと思うところまでまだいっていなかったのに、日本に帰ってすごく悲しくなるだろう、旅の間は実感がないだろうと思っていたのに、涙がどんどんあふれてきた。

となりにいた太った老婦人が「大丈夫？」と言って汚いハンカチを出してくれた。汚いな、と思いながらも受け取ると、ハンカチからはびゃくだんのようないい香りがした。

「でも、汚れます。」

とただでさえ汚いのに、とは言えず鼻血と涙を出しながら私が言うと、

「あげるわ。」

と言って彼女は出て行った。そのそっけない優しさがいちばんこたえて、私は本気で泣き出してしまった。そして私は涙も血もそのハンカチに思いきり吸い取らせて、重い扉を押し開け外へ出た。

なにごともなかったかのような曇り空が遠くへ続き、街路樹がまっすぐに続いていた。トイレで顔を洗い、腫れた目でガイドさんと散歩をした。悪い夢の中にいるようだったが、田舎街はほのぼの、ゆったりとしていて、目に映るものはすべて力の抜けきった夕方の風景だった。雲がほんのりピンクに染まっていた。お店を閉めて家路を

急ぐ人たちもいた。日本に帰っても私の私生活にはわずかな友達以外もうなにもない。待っている人もいない。

☽

今度のホテルは全く正反対のにぎやかな場所にあり、ちょっと外に出れば大勢の人が無目的にがやがや、ぞろぞろ楽しそうに歩いていた。私は夜、ひとりでいろいろな店の外装の写真を撮って歩いた。

へとへとになって部屋に帰り着いて、しまった、ボスに電話を入れ忘れていた、ついでに雅彦のこともそれとなく聞こう、と思いながら、しかし、聞いたら本当になってしまうという気の重さから、だらだらと片づけものをしていたら、電話が鳴った。

「もしもし。」

私は言った。雑音の向こうから、

「なんで昨日はこのホテルにいないんだよ！　心配しただろう。」

と雅彦の声がして、私は、なにもかもがどうでもよくなるくらいびっくりして、すわり込んでしまった。しかし涙声で、

「ホテルがいっぱいだったのよ。」

と言う私に、

「留守電に入れとけよ、だったら。」

と雅彦は言った。

死んでたら留守電なんて入れても仕方ないと思ったとも言えず、私は雅彦の遺体のそばで鳴っていたはずの昨夜の電話の音を思った。一度描いた光景がなくなることはない。心の傷が残ったじゃないか、と私は思った。

「君のためだけに、この無精な俺が携帯電話なんか買ったのに。」

彼は言った。

「だったら家でも電源入れておきなさいよ。」

「仕事の電話が家にかかってきたらいやなんだもん。」

雅彦は言った。生きていて、すねたり、汗をかいたり、声をかすれさせたり、しているようだった。今となってはそれだけで嬉しく、私は恋愛中なのだと思い知った。泣きそうだったけれど、あの女房の悪質ないやがらせ、私のホテルの移動まで調べあげたしつこさを思いやりと取った、そういううぶな自分が悔しかったので、絶対に泣

いてたまるか、と思い、

「ごめんね、あんまり疲れていたから、一回鳴らして通じなかった時にすぐ寝てしまったの。」

と言った。単純な彼はすぐに機嫌を直し、マテ茶を買ってきてなどと言い出した。また、いつもの日々がはじまる。さっきもらった血まみれのハンカチで涙を拭きながら、よかった、と私は思っていた。

ブエノスアイレスで一泊したあのホテルを思う度、私は雅彦の遺体と夜の芝生で愛するスターの眠りを守る天使たちを思うだろう。小さな古いマリア様といい匂いのする汚いハンカチを思うだろう。

それがすばらしい思い出なのかどうかはわからなかったが、この世のものではありえないほど妙な思い出であることだけは確かだった。

Marlboro
Marlboro

24

Budweiser
ABIERTO LAS 24 HS.
ESTACIONAMIENTO
Marlboro
PLAYA

最後の日

　この骨格はきっと太古の亀に違いない、そう思ってその骨の向こう側の想像図を見たら、それは亀とは似ても似つかない、サイに似た恐竜だった。ふうんと思い、ふと時計を見て、はっと気づいた。

　一九九八年の四月二十七日、それは、私が、死ぬと予言されたことがある日だった。私は思った。

「へえ、この日をアルゼンチンで迎えるなんて、このことこそが予想のつかなかったことだわ。」

　幼い日の私にとって、そんな未来のことは全く見当がつかなかった。「もしもその日に私が死んでしまうとして……。」誰かと結婚しているのか、ひとり暮らしなのか、どんな部屋に住んでいるのかなどと、寝転んでこたつの中で想像をめぐらせたある冬の午後が生々しくよみがえってきた。今となっては懐かしいあの、実家の部屋。こたつ布団のふかふかした感触。母が苦労して作ったきれいな色のカーテンから午後の光が降り注ぎ、外には柿の木があって、小さな柿がなっているのが見えた。あの柿の木はもうないのだろう。実家も建て替えをして大きな和室はなくなってしまった。今では母が小さなこたつを自分の部屋に出しているだけだ。

あの日の私は「あなたはその日、アルゼンチンの博物館でひとり過ごしているのよ、そしてこたつの中で空を見上げてその日のことを想像していた幼いあなたのことを思い出すでしょう。」と言われたって決して信じなかっただろう。

懐かしさの後にはすっかり忘れていたはずの、そのこと、つまり私が死ぬとされていた日が特定されていたこと……にまつわる冷たく暗い気持ちの固まりが、胸の奥から生々しくよみがえってきた。

その空虚な感覚は、もうこの世にあるはずのないものばかりが展示されているがらんどうのこの空間の、靴音がコツコツ響き渡る通路によく似合っていた。

他に人はほとんどなく、たまに学生の集団がメモをとりながらひそひそしゃべっているのとすれ違った。私はさっきまでとはまた違う感覚でぼんやりと展示物を眺めながら歩き続けた。

もうずいぶん前に死んだ私の祖母は、とても激しい気性の持ち主の、厳しい人だった。四柱推命から発した特別な流派の占いの資格を持っていて、晩年まで人々の相談に乗っていた。私のことをとてもかわいがってくれたし、いつも心配してくれた。

私の母は祖母の実の娘で、父と結婚して祖母の住む家のすぐ近くに家を建てた。そんなことをするなら仲が良さそうなものだったが、私のおぼえている限りではいつでも、これでは嫁姑よりも仲が悪いのではないかと思うくらい、衝突ばかりしていた。

私はかなりの難産で生まれたらしく、母は体力の限界までがんばった。そして苦闘の末に私が生まれたとたん、祖母はその時刻を記して家に飛んで帰り、私の人生の概略を調べたらしい。

「私が貧血で瀕死だったっていうのに、おばあちゃんは、鼻高々であんたの死ぬ日を告げに来たってわけよ。」

と母は、私が四十になろうとしている今でも悔しそうに言うことがある。

よっぽど腹が立ったのだろう。私からしたら、占いのことしか考えていない祖母は孫が生まれたことではしゃいでしまって、とにかく自分なりになにか役に立とうとしたんだろうな、と思うことができる。死ぬ日というよりは、人生全体をみてくれたのだろう。祖母自身がよくそう言っていた。

しかし、たまたま父が出張でいなかったこともあり、いっそう孤独だった分娩室で母は、ショックのあまり「おばあちゃんは孫の死ぬ日を知らせに来た」ということしか印象に残らなかった。こうして誤解ははじまり、人と人の間がどんどんむつかしくなっていく。母は悔しかったのだろう。死ぬかと思うようなはじめてのお産を無事にやっと終え、ぎりぎりのところでこの世に生命を得たふにゃふにゃの赤ん坊に乳をふくませていたら、かけつけた祖母はお産の苦労を聞こうともせず、生まれてきたばかりの孫の死ぬ日を意気揚々と予言しはじめたのだから。

はたから見たら笑い話だが、当人の悲しみはわからなくもない。祖母のそうした無神経さは、母の人生にずっと、何回も何回も小さな刺《とげ》としてささり続けていたのであって、その時一回だけではないのだろう。なんでそれが実感できるのかというと、しわ寄せは下へ下へと寄せてきて、結局その話を全部聞かされた私がいちばん悲しかったからだ。

落胆のあまり、白いシーツが黒く見えたほどだったとやはり笑いながら母は言った。目の前が真っ暗になるって本当にあるのよ、と。

病室の、蛍光灯の光に照らされる、永遠にわかり合えない二人の女……。

と、私はいつも想像した。さむざむとした光景だった。

母にしてみれば、自分のつらさを訴えて、私が祖母になついていることの理不尽さを自覚してほしかったのだろう。今となっては、笑うことができる。しかし、幼い私にしてみれば、祖母も、母も、登場人物すべてのありようが残酷で無神経に思えて、暗い気持ちになった。まあ、遺伝とはそんなものなのかもしれない。

祖母に関する母の心の傷がどのくらい深いものなのか、私にはわからない。ただ、その話をする時は、いつも母は怒っていた。冗談混じりの時も、思い出話の時も、心底怒っていたと思う。

「大丈夫よ、あんたは死にはしないわ。おばあちゃんも、自分の死ぬ日をはずしたんだから！」

と言って笑う母の三日月形に細くなった目の残忍な表情も、私には恐ろしかった。

私は、いつかわからないくらい遠い未来に自分が死ぬかもしれないことなんかより、その二人のほうがよっぽどこわかった。

「おばあちゃんが死ぬ時、予言した日をはずしたね、とは言わなかったの？」

と私はたずねたことがある。母は、

「さすがに言わなかったけど、はずれたことには正直言ってほっとした、あんたのことを一応気にしていたから。おばあちゃんが当たったりしたら、その後、あんたも当たるかもしれないって思うのこわいもんね。」

と言った。

私ははなからそんなことどうでもよかったから、心のどこかにはひっかかっていたけれど、気にもとめずに生きてきた。もちろん暗示の力はこわいけれど、もっとこわいのは、祖母も母も、その力をふるう時に人というものが必ずどこかちょっと嬉しそうなことのほうだった。母にしても、私が生きる死ぬよりも、意地でもはずれてほしいという気持ちのほうが強いんじゃないかと思えることすらあった。私がこわいのは、いつも人間の心の働きであり、運命とか自然の脅威のほうではなかった。

トイレの横に国際電話ができる電話があり、ふと、母に電話してみようかと思ったが、やめた。時差が十二時間ということは、真夜中だった。

「それに、まだわからないし、今日これから死ぬかも。」

とひとりごとを言って笑った。

私はそれからじっくりと、遺跡の発掘品や、頭に手術痕のある人骨や、大小様々のミイラを眺めて外へ出た。

館内の暗くてひんやりとした灰色の世界、かび臭い空気から一転して、空は高く晴れ、正面の階段がまっさらの陽にさらされていた。爽やかな風が、緑道の力強い木々の緑を揺らしていた。枝のおりなす複雑な模様が、アスファルトに描き出されていた。

私のうしろには、自然の中で朽ちていくことを許されずに整然と並べられているものたちがあり、前には、今現在この世界に生きている人や動物や植物があった。散歩する人々、犬、鳩……いろいろな生命が無造作にちりばめられている。

しばらくその落差をぼんやりと眺めて、私は歩き出した。

夫との待ち合わせは泊まっているホテルのロビーだったので、少し遅れてあわててホテルにたどり着いた。

夫は、アルゼンチンの音楽にかかせないバンドネオンという楽器……今はもう作られていないらしいその楽器をいつか日本で作ったり、演奏する人材を育成するのが夢、という変わった人だ。もう五十になるが、幼い頃をずっとブエノスアイレスで過ごしたせいか、ごく普通の日本人の五十代よりもずっと若く見える。服のセンスや色使いもなんとなく違うし、食生活も変わっているし、いつも外国の人と暮らしているような気がした。彼は幼い頃に両親に連れられてしょっちゅう行っていたタンゴのショーにすっかり魅せられて、タンゴに人生を捧げている。家にはピアソラのポスターが貼ってあるし、映画の中から出てきたような長くて細くて美しくて動作が機敏なタンゴダンサーたちが泊まりに来て、うちのマンションの和室で布団に寝ていたりする。彼のおかげで私までそういう、異国の面白いものをたくさん見ることができる。人脈もあるし情熱もあるので、ずいぶんと若い頃から常にタンゴにまつわる様々な仕事をしていた。

今回はアルゼンチンの若い人たちがやっている楽団を日本に招待することにまつわる打ち合わせで来ることになり、いつもの出張よりも時間に余裕があるから私もついてきて休暇も楽しもう、ということになった。

ホテルのロビーにも泥棒がいると聞いていたので、はじめてこの国に来た私は不自然なほどしっかりとバッグを抱えてロビーをうろついたが、夫はいなかった。フロントに行くと、英文でメッセージが届いていた。

「仕事が長引き、今日は夜遅くまで戻れそうにありません、スタジオにこもっているので、連絡もとりにくいから、夕食も済ませてしまってください。かわりに明日は一日中空けたので、昼は観光、夜はタンゴを見に行きましょう。」

もう、私が今日死んだらきっと後悔するわよ、と私は笑った。そして、フロントでタクシーを頼んで、ガイドブックに載っていたティグレというところに行くことにした。

タクシーの中で、午後の街を歩く人々ののんびりとした様子を眺めた。街の中にはきれいなものも汚いものも、ありふれたものも卓越したものもみんな散らばっていて、外国に慣れていない私の目を楽しませた。私は、うん、今日なにかで死んでもつらくはないな、と思った。

それは、人生が退屈だとかつまらないというのではなくて、私は幼い頃からずっとそうだった。それが祖母と母の険悪さに巻き込まれないための知恵から出発したのかどうかはわからない。私にとって一日とはいつも、のびちぢみする大きなゴムボールみたいなもので、その中にいるとたまになにかをふと眺めている時、なんの脈絡もなく突然、蜜のように甘く、豊潤な瞬間がやってくることがあった。永遠に続きそうな、うっとりとするような感じ……その美しさを感じると、私は見とれてしまい、いつまでも全身でそれを味わっていたいと思う。

たとえば、今日の午後、博物館の静かな廊下に私の靴音が響きどこまでも広がっていった様子。壺の中に寄り添う二体の赤ちゃんのミイラを見た時。その小さな手の骨や、小さな頭蓋骨をじっと見つめているうちに、博物館全体が静かに呼吸しているような錯覚をした時。私は世界の一部であり、決して分離してはいなかった。

私にとって生きるというのはそういう瞬間をくりかえすことであり、続いている物語のようではなかった。だから、どこでとぎれても、私は納得するのではないか、と思えた。

テイグレに着き、タクシーに迎えに来てもらう約束をし、パラナ川のリバークルーズをはじめた頃にはもう陽ざしは西日になりつつあった。天気も柔らかい曇りに変わり、涼しくなってきていた。

その小さな船は乗り込むとすぐ、濁った水の穏やかな川を走り出し、川風が心地よく顔をなでていった。

川の両岸には様々な家があった。日本ではありえないほどはっきりと見せつけられる貧富の差。ある家はぼろぼろで、洗濯物がだらしなくぶらさがり、その中を薄汚れた子供たちが裸足で走り回っている。かと思うとある家には何台もの美しいボートがつながれ、ガラス張りの明るいサンルームがあり、洗練された家具が見える。週末の別荘というところだろうか。カヌーの練習をする青年たちとも、他の観光船とも、何回もゆっくりとすれ違った。

そしてたまに南米特有のかっと暑い強い光が雲間から照りつけると、周囲の景色は一変した。その変化の美しさには目をうばわれた。濁った水は黄金のきらめきになり、貧しい家も豪華な邸宅も同じように真っ白に光る風景の一部になる。

船員が持ってきてくれた甘い飲み物ともっと甘いビスケットを食べながら飽きずにその変化を眺めていたら、酔っぱらったような気分になってしまった。

同じ船に乗っているアメリカ人観光客や地元のカップルは、時々ささやくようになにかをしゃべり合っていた。生活の言葉や、愛の言葉。その声がエンジン音と水音に混じり合って、心地よかった。

いつか、これと同じ気持ちになったことがあった……と私はぼんやりと思った。そしてしばらく考えて思い出した。

夫と、伊東に婚前旅行に行った時だった。

私は夫に出会う前に、不倫の恋をしていた。前にいた会社の上司で、すごくピアソラが好きな人だった。だから今でも、時々、朝のリビングで夫が大音響でピアソラを聴き出すと、それがどんなに無名の曲であっても必ずつらい気持ちになる。

私は全然不倫に向いていなかった。向いていないことは、してみないとわからないとよくいうが、本当にそうだった。いつも土曜の朝にその人が帰って行くと、朝の光の中でほこりの細かい粒子がちらちら輝いて漂っていくのをじっと見ながら私は思った。さっきまで同じ味のコーヒーを飲んで、同じ皿の卵焼きの味付けについて語り合っていたのに、もういない。まださっきかけたCDが終わっていないのに、もう連絡をとることもできない。これでは、死とそんなに変わりない。そう思った。あの淋しさのいやな質感は、私に全く合わなかった。そんな時はしばらくピアソラの強引な音の流れに耳を傾けていると、時間は私のもとに帰ってきて、やっと私は私の土曜日をはじめることができたが、すごく無理のあるがんばり方だった。

それがいやだったからか、私は妊娠した時、彼と別れて子供だけ産もう、と決心して、会社をやめて北海道の親戚の家に逃亡した。

我ながらすごい行動だったと思う。

やがて彼と彼の奥さんが二人で北海道に来て、頭を下げて子供をおろしてくれ、と言ってきた時も、私は動じなかった。しかし、結局早産だった上に子供はすぐ死んでしまった。それからは子供ができにくくなってしまい、なかなか妊娠しない。でも私は高齢になっても妊娠したら産みたいと思っている。北海道で出産を待っている間、私は楽しかった。話しかけたり、気使いをしていると、ひとりではないという感じがあった。死んだ時は淋しくて、まるで知っている長いつきあいの人が死んだ時のように涙を流した。もう一度あの気持ちがやってくるなら、嬉しいと思う。

夫との出会いは、その恋人である上司と出かけたバイオリンのコンサートだった。ピアソラの曲をたくさん演奏するコンサートだった。夫は受付にいて、ずんぐりしていてうっすらはげていて、エネルギーに満ちていて、犬みたいに目が黒くてくりっとしていて、印象的だった。スーツがよく似合っていた。スーツは、かっこよく見せるためでもきちんとして見せるためでもなく、公の場でたち働く時に気合が入りやすい服装なのね、と私は妙に納得した。

奥さんがクリーニングにまめに出している私の彼のスーツ姿を、いつもすてきだと思っていた。サイズがすみずみまで合っていないとだめなんだ、と彼は言った。よく私の部屋で彼がワイシャツを脱ぐと、クリーニング屋の紙札がすそについていた。きちんとしている家庭の匂いがいつも切なかった。しかし、その時、恋人のスーツ姿がはじめてみすぼらしく見えた。夫を見て、はじめて、服は人が必要だから着るのであって、それ以上の意味はなく、かっこよく見えるのはその人がかっこいいからであって、服は重要ではないんだ、と心から思った。そのくらい、夫のたちいふるまいには説得力があった。

私と恋人が働いていた会社がそのコンサートに出資していたから、後の夫は私たちに挨拶をした。感じのいい挨拶だった。私は思った。「すてきな人だなあ、こんな人と結婚したらいいだろうなあ。」と。

どんな人なの、と帰り道恋人に聞いたら、「タンゴ狂いで結婚もしてないらしいよ。」という人物像が返ってきた。それも好ましく思えた。

北海道から帰ってきて、職もなく、もちろん恋人とも完全に別れた（奥さんと一緒に北海道に来られては仕方ない……子供が死んだことも知らせはしなかった）私は、彼に会えるかもと思いタンゴのコンサートに行ったら、本当に彼はロビーをうろうろしていて、立ち話をきっかけに私たちはつきあいはじめたのだった。

結婚前の冬、夫は休暇ができたからドライブに行こうと私を誘った。下田の宿に泊まって、いつの間にか結婚話になった。それで、これからどこに住もうか、と急遽《きゅうきょ》話し合った。東京の地図を広げたり、家賃の計算もした。風呂に入ったり、ビールを飲んだりしながら、だらしなく寝転がって、一生懸命考えた。

それで、帰り道、別れがたくてもう一泊しよう、とお互いが言い出した。かわいらしい瞬間だった。海を望む曲がりくねった道路の上で、どちらからともなく、明日疲れてもいいから、早くに都内に帰ってゆっくり休んだりせず、海の近くにいようと決めた。

伊東で宿を見つけた。すごく寒い日だった。女湯の露天風呂でひとりになって、私はなんとなく小さな幸福に満たされていた。

露天風呂は寒さのせいかものすごくぬるくなっていて、体を出すとみぞれ混じりの冷たい風が勢いよく吹きつけてきて縮み上がるほどだった。凍えそうなヤシ、吹き飛ばされそうなかもめ。ちぐはぐな冬の風景。目の下にはるかに広がる海はすべて灰色で、風のせいで海面は鋭い三角のギザギザに細かく波だっていた。いつまでも出ることができずに、私は首だけ湯から出して、冬の広大な海景色を見ていた。

額は冷たく、体は温かかった。

いろいろなことがあって、心は少し暗く、少し淋しかったり空《むな》しかったりした。しかし目に映るものは、その心模様をはるかに上回るダイナミックな動き……そんな時に私はいつも、なにか大きなものに抱かれているような気がして、心が真っ白になる。充足。その言葉しかそれを表す手段は今のところ、ない。


ちょうどよく日に焼け心地よく疲れて、気分よくホテルに戻ると、夫はまだ戻っていなかった。

部屋に戻ってシャワーを浴び、ルームサービスで「出前のうどん……。」と何回もつぶやきたくなるような、しかしすばらしい銀の食器に盛られておごそかに運ばれてきたまずいパスタを食べ、人生最後の夜に乾杯！　とばかりに冷蔵庫の小さなシャンパンボトルの栓を開けた。

飲みながら母に電話したら「あんたそんなことまだおぼえていたの、悪かったわねえ。」の後にやはりひとしきり、当時の恨みごとを聞かされた。おばあちゃんったら、本当にひどかったわ……。電話を切って、時計を見たら、十一時だった。

いよいよおばあちゃんの占いははずれそうだった。薄暗い間接照明にきれいに照らされたシャンパングラスが柔らかい色に光っていて、泡が美しくのぼっていく様子を見ながら、全部飲み干した。甘い気持ちだった。

私はベッドで寝転んで本を読みながら、ライトをつけたまま眠ってしまったらしい。

突然電気が消えたのではっと目が覚めた。

見ると、となりのベッドに夫がもぐり込んで寝るところだった。

時計を見たら、十二時四十五分だった。

その日が終わったことにほっとして、私は夫に声もかけずにまた眠ることにした。うとうとしながら、最後に見た夫の首筋のしわや、投げ出された手の爪の短さや、柔らかい毛がうっすら生えた耳のところの生え際や、ごつくて四角い背中の線を思った。それらは私がまるで風景のようにずっと見てきたものだった。

私が先に、たとえば今日死んでいたら、彼は、二人で住み慣れたあの部屋に暮らし続けることになるのだろう。彼は、私の気配が全体にしみ込んだあのリビングで、毎日、朝のコーヒーを淹《い》れるのだろう。二人分ではなくひとり分。あの大きな手でスプーンを持って、いつも夫はコーヒーの粉を、冷凍庫から出したビンの中からフィルターに入れる。その様子を映画の画面を観るように想像した。私がおいしいと言うので、夫はいつも自分でコーヒーを淹れてくれる。でも、私がいなくなったら、言葉も発さず、誰もほめてくれないのに、おいしいコーヒーを、あの部屋であの光の中で、大きな音で音楽を聴きながら、淹れるのだろう。

その光景に、胸がしめつけられた。

そして、幼い日には想像もつかなかったそんなことで、この年のこの日この夜、胸がしめつけられることが私の人生に生まれていたことが、ただとても嬉しく思えた。

BAR
TRAGOS
ACAPUL
Chiclets

小さな闇

輸入業を営む父親の仕事にくっついてブエノスアイレスに来たものの、なんの知識もなかったのでとまどうばかりだった。街が白人ばかりなのも、街並があまりにもヨーロッパに似ているのも、それなのにくっきりと濃い、南米特有の悲しいほど青い空に、ジャガランダの木が枝を伸ばしているのも、新鮮だった。

街を行く女の子たちはみんな妙に老けていて、二十一歳の私なんてまるで中学生に見えるのだろう。ひとりで歩いていてもナンパもされず、スリにもあわなかった。ホテルのレストランがいやがるほどの古いジーンズに、懸賞で当たった古い古いスラムダンクTシャツを着ていたのがよかったのかもしれない。そこにGジャンをはおれば、どこから見ても貧乏な旅行者だった。その上、ひとりで歩くなら用心しすぎてもいいくらいだ、と父が言ったので、私は手ぶらで歩いていた。

その日、父は私と別れてひとりでそそくさとギターを買いに行ってしまった。父はクラシックギターが趣味で、演奏はプロ級だった。父はこの国に、観光に来たのでも、本当を言うと出張で来たのでもなく、ただ単に、ギターを買いに来たのだった。取り引きをまとめる仕事は昨日で終わり、父は朝からうきうきしていて朝食の間もギター屋のことで頭がいっぱいだった。はじめは私もその小さな店に入って、本当に美しいギターが並んでいるのを見ていた。人が手をかけて、心を込めて作り、磨きあげ、やがて演奏することによってまた生命の輝きを深めていく楽器というもの……そこには目的のある美しさがあった。父の目は輝き、次々に手にとって演奏しては、決められないため息をもらしていた。すばらしすぎて、選べないという様子だった。きっと彼は一日中ここにいるだろう、と思い、ホテルで集合することにして、私は店を出た。

来る前にマドンナの映画を観て予習した私は、エビータのお墓でも見てみようか、と思い、コレクティーボに乗って、レコレータ地区にある墓地を目指した。

墓地は公園かと思うくらい緑が多かった。たくさんの人が、犬の散歩をしていた。ひとりで何十四もの犬を散歩させている人もいた。きっとそういう仕事があるのだろう。聖堂があり、高い塔がそびえたっていた。私は墓地に入って行った。

そこは、私の思っていたような墓地とは全然違って異様に立派な建物が並んでいる場所だった。ひとつひとつの墓が一軒の建物になっていて、高くそびえたっていた。これはもはや住宅街だ、と私は思った。広い通路の両脇に、ずらりと家のようなものが並んではるかに続いていく。納骨堂は何人でも入れるくらい大きい。死んだ人たちが入っている家、また家。天使や人物やキリスト様やマリア様の彫像がそれらを彩っている。小さい教会がついている墓も、ガラス張りで自動ドアの納骨堂がついた墓もあった。中には美しい棺桶が段になって置かれていた。中に階段があって地下に降りて行ける墓もあった。エビータの墓は確かに今も絶えず人々が訪れるだけあって新鮮で美しい花がたくさん飾られていたが、墓地全体の豪華な、まるで美術館のような様子に比べて、それほどのインパクトはなかった。静かな午後の光、静まり返る死者の家たち……その様子はちょうど、昔両親と行った、ポンペイの遺跡を思い出させた。街はそのままなのに、住んでいる人たちが消え失せたあの静寂。今も当時の活気が匂いのように漂っている石の街。青空を背景に、いつまでも死んだまま静かにしている街。

ずらりと並ぶその墓の街の装飾された建物は、どれもが母のお墓が五十くらい入りそうな墓ばかりだった。

そう、母の墓は本当に小さくて、日本の墓地の中でもさらに見つけることが困難なくらいかわいらしいものだった。

かっこいい。私がお金持ちになったら、母にこんなすごいお墓を作ってあげようか、と私は思ったが、すぐにその気持ちは消えた。

そうだ、母はこういう小さい家に入ることがなによりもいやだった、と思い出したからだ。

死んでいる人のほうが多いこの場所では、死者を思い出すことが妙に自然だった。角を曲がっても曲がっても、同じような美しい装飾や花に彩られた「墓の街」が続く。光に照らされて陰影がくっきりとして、夢の中を歩いているようだった。ここをいつまでも歩き回っていたら、自然に、死者の国と境がなくなり、足を踏み入れることができそうだと思った。


母は三年前、癌で死んだ。私はひとりっ子でお母さんっ子だったから、ずいぶん長い間悲しみにくれて、高校を卒業しそこない、人よりも長く高校時代を送ってしまった。バスケットボール部の後輩たちが同学年になり、私はなぜか先輩！ と呼ばれる同学年になったため、あだ名は先輩、になってしまった。卒業の時は、後輩からも同級生からも、先輩、卒業おめでとうございます！ と言われて愉快だった。その頃には母が残していた薄くて柔らかい気配も家からすっかり消え、がさつな父と私の気ままな生活の型ができていた。母はこの世からひっそりと消えていった。

　母はなんとなく影の薄い人で、小さい頃から、もしかしたらお母さんは長生きしないかもしれないなと私は思っていた。母は欲望をむき出しにすることをせず、大声で笑うこともあまりなく、なにかをあきらめているようなところがあった。私はそれは父のあまり盛り上がらないおとなしい性格の影響かと思っていたが、母はずっとそんな感じだった、とお葬式に来た昔の友達はみんなそう言った。ああしたい、こうしたい、というのが薄く、いつもなんとなく受け身な感じがする人だったと。

　母の母、つまり祖母は、パリに住んでいる有名な画家の愛人だった。母は、私生児だった。祖父は年に三ケ月くらいは日本に住み、祖母はその間の現地妻だったそうだ。どちらももう死んでしまったので私は祖母にも祖父にも会ったことはないが、たまに展覧会が来ると行き、「ほほう」と思う。血がつながっているんだ、と不思議に思う。私の好きな浅葱《あさぎ》色を多用しているその絵を見ると、そう思う。祖母の肖像もある。目元が母に似ているから、買いたいと思ったら、法外な値段だった。

祖父は老境にさしかかってから突然恋に狂い、正妻も祖母も投げ出して、二十代の娘と結婚した。正妻がどうなったかは知らないが、祖母は精神に異常をきたした。すべてを失った祖母の、その時の嘆きようはものすごかったらしい。

母は、その話をする時だけは、奇妙に熱を込めた。

私はいつも、影が薄い母がふと消えてしまうのではないか、と不安だったが、その話をしている時の母は、なぜか力強かった。

時計を見ると、午後三時になろうとしていた。

墓の中は陽ざしもきつく、私はゆっくりと歩いて、またエビータの墓の脇を通り、そこに飾られた様々な献辞や、黒いみかげ石の光るところを見た。そして、少し休むためにとても大きな木の根元に腰を下ろした。かすかに風が渡っていって汗が乾いた。墓場にはどうしていつも、低く枝を伸ばす大きな木があるのだろう？　死者を慰めるためなのか、死者のエネルギーを吸い取って育つのか。

父はまだギターを選んでいるだろうか。

気のいい父、クラシックギターがこの世でいちばん好きな父。

父と母は新婚旅行でやはりここに来たという。その時も父はギターを買った。母は、ひとつひとつの試し弾きに耳を傾け、根気よく、父の買い物につきあった、と父は言った。そして、お母さんは、あるひとつのギターを指差して、あなたの音はこれ、と言ったんだ、それがうちにあるこのギターだよ。お母さんにはそういうミステリアスなところがあって、そこにすっかりやられてしまったんだね、俺は……と父はのろけたものだった。

母は父と基本的にとても仲が良かったが、父には私から見ても奇妙なところがあった。私は父方の祖父母をよく知っているが、特に変わったところはなさそうなので、それは父が独自に持っている癖のようなものなのだと思う。小さい頃からそうだった。

たとえば、父の誕生日、母は父の好きな食べ物を朝から用意している。父は、必ず早く帰るし、遅くなるようだったら連絡をする、と言う。私もそれを心得て、部活が終わるとすばやく帰ってきた。しかし、ある程度の分別がつく年齢になった頃にはもうわかっていた。そういう時、必ず父は酔って遅く帰ってくる。連絡もしない。それが母や私の誕生日だったら別だった。早引けしても病欠してでも、父は家にいた。しかし父の昇進の時も、独立の時も、親友が事故で亡くなってがっかりしている父を慰める会の時でさえ、いつもなにか父を中心に、父を待って食事をしようとすると、父は逃げ出した。親戚とかお客さんを呼んだりすると、ますますだめだった。結局父なしで食事をして、お客さんが帰った後に、つぶれて運ばれてくる父を見るのがおちだった。

幼い時から母が死ぬまで、母も私も何回父を責めただろう。

父は悲しそうに言った。

「どうしても、待たれていると思うと、こわくなってしまうんだ。自分でもどうしようもないんだ。そして、足が重くなって、遅くなってしまう。そうするとますます連絡しづらくなって、飲んでしまうんだ。もしも期待に応えられなかったら、と思うだけで、だめなんだ。」

　これは、心の病かもしれない、と思い、私と母はやがてじょじょにだが公にする祝い事をとりやめていった。きっとそれは父の深いところにある傷に触れるなにかなのだろう。それにしてもよくそれで独立して事業をはじめることができるものだ、と私は思ったが、外で無理すればするだけ、できてしまうほころびがそのポイントだったのだろう。

　それでも私と母は、創意工夫をして、意地でも祝ったりした。

　誕生日の前夜には父が寝静まってからこっそりと支度をして、プレゼントをテーブルに並べて、音もなく調理をして、夜中の二時に父を叩き起こし、みんなでパジャマを着たまま乾杯をしたこともあった。そういう時、その創意工夫に父は本当に救われたと思う。そして誕生日当日は寝ぼけて会社に行き、普通に帰ってきて、普通の夕食を食べていた。そんなにしてまで、とは思わなかった。それが愛情の示し方であったり、人間の弱さというものだと思った。

私が母にその話を聞いたことは二回しかない。

一度は、小学生の時だった。その頃はまだ私も母も、父の悪い癖を矯正しようとしていた。なんの祝い事だっただろう。父が夏休みに海外旅行に行こうと言い出したので、そのお礼にごちそうを作ろうという日だっただろうか。

母はよりによって天ぷらを用意し、じっと待っていた。私は耐えきれず、だいたいどうせいつものように父は帰らないだろうと知っていたので、勝手にカップ麺を作ってとりあえず食べていた。母にもひとくちあげた。

母は麺をすすり、ひとこと言った。

「他に女の人がいるとかいうほうが、よほど深刻よね。」

「そうよ。お父さんはまじめすぎるから、こういうかしこまった場が家にあるのがだめなのよ。」

私は言った。

「でもね、こうして、用意をして、天ぷら鍋にも油を入れて、材料もみんなそろえて、ないはずの夕食の時間を待っているとね、お母さん、箱に入っている感じがするの。」

「はあ。」

私は言った。わけがわからない比喩だと思った。

「この感じは、きっと、今、お父さんが外にいる気持ちと似ていると思うの。そういうところがお互いにひかれ合ったのかもしれない、と思うと、たまらなくなるの。お互いのたまらなくつらいところで、向き合っているような気がしてくるのね。そうすると、ふだん積み上げてきた明るいものや、地面に足の着いたものがみんな幻想に思えてきて、ずっと箱の中にいたような気がする。好きだから、大切だから、箱の中に入れられてしまっているような気がする。完璧なお父さんになるのがこわいっていう心が、お父さんの中になぜあるのか？　いや、誰の中にもあると思う。それがこわいの。」

「いいじゃん、私がいるじゃん。二人で箱に入っていても、私はそこに入ってないもの。無駄だよ、来ないもの待っていても。それより私のために天ぷら揚げてよ。冷えたやつをいやみがましくとっておいて、先に寝てしまえばいいじゃない。お父さんもそのほうがいっそやりやすいと思うよ。」

私は言った。

母はにっこり笑って、私のために天ぷらを揚げはじめてくれた。

その夜以来、母は意地で待とうとはしなくなった。もちろん待ちはしたが、少しずつ、先に作って食べているようになった。私は私で、私が生まれる前の息苦しい二人を想像した。愛の熱に苦しむ男女の姿を見た気がした。

箱については別の時にわかった。

ある時、私と母は青山に買い物に行き、私の希望でスパイラルビルに展覧会を見に寄った。外国のアーチストが、小さな建物を作って展示していた。見に来た人は、その色とりどりの窓がある小さな建物にかがんで入って、中から外を眺めることができるようになっていた。

入ろう、と私が言うと、母は外で待っていると言った。

なんで、内装が見どころなんだよ、入ろうよ、と私はしつこく誘ったが、母は待っている、と言った。おかしい……と私は思った。その時の母は、家に帰れない話をしている時の父と同じ目をしていた。本当にこの人たちは心の傷をポイントに深く分かちがたく結ばれているのかもしれない、と思った。

私はその小さな建物、ちょうどこの墓地に立ち並ぶお墓くらいの大きさだった……に入り、いろいろな窓から外を見たり、小さな家具や飾られている絵を見て、楽しんだ。そして、外に出た。母はにこにこして、もとの母に戻って待っていた。

「疲れたから、お茶でも飲みましょう。」

と私は言って、スパイラルの値段が高いカフェに母を誘った。

一杯のコーヒーを嬉しそうに、おいしそうに貴重なもののように飲み終えた後、やはり母は切り出した。母はそういう人だった。曖昧《あいまい》にすることを好まなかった。そして、母はなにかを口に入れる時、いつもそんなふうにこの世の最後に飲み食いするもののように楽しそうにした。私はいつもそれを切なく思った。

「さっき、変に思ったでしょう？　お母さんのこと。」

母は言った。

「お母さん、箱に入るのがこわいの？　昔なにかあったの？」

私は言った。

「今まで言わなかったけれど、あなたのおばあちゃんは、病気になって、病院に入ったことは知っているわね。おばあちゃんは、自殺したの。精神病院だったから、刃物はなかったのに、えんぴつ削りの刃を取り出して、手首を切ったの。すごく器用な人だったから。」

私はそんなこと知らなかった。失意のうちに死んだというのは知っていたが、それは親戚の誰からも聞かされていなかった。

「お母さんがいくつの時？」

私はたずねた。

「八歳の時よ。」

母は淡々と言った。

「お母さんは、おばあちゃんがおかしくなった時、二人で暮らしていたの。もうおじいちゃんがその家に来ることはなくなって、おばあちゃんはお母さんが学校に行くのも恐ろしくなったみたいだった。ある日、学校から帰ると、おばあちゃんは家の中に、段ボールで小さな家を、って言っても、さっきのあの家くらいの大きなものだったんだけど、とにかくそれを作って待っていた。窓がくり抜いてあって、中にはおもちゃのテーブルが置いてあって、ろうそくが灯っていたわ。壁紙もきちんと塗ってあって、中は花柄が描いてあった。絵心があったから、とてもかわいらしい美しい紙のおうちだった。おばあちゃんは、お前のために家を建てたからここに住んでほしい、と泣いて頼んだ。私は、そうしてあげようと決めた。」

「ええ？」

「それから二週間、その家の中で私は暮らしたの。徹底的に、その中だけで。一歩も出なかった。おばあちゃんはおまるまで持ち込んで清潔を保って世話してくれたし、食事もまめに運んでくれた。陽の光は部屋の窓から、その小さな家の窓にも射し込んできたわ。」

「お母さん、すごい根性だね。」

「それしかしてあげられることがなかったんだもの。お母さんの世話をしている時、おばあちゃんは本当に幸せそうだった。にこにこしていた。神々しかった。おじいちゃんが去ってから、ずっと泣いていたおばあちゃんを、喜ばせるにはそれしかなかったの。だって、お母さんにとっては、あんたのおじいちゃんは、たまにしか来ないよく知らない人だったから、おばあちゃんがすべてだったのね。」

「はあ……。」

「私が学校に行かなかったから、教師が様子を見に来て、私は保護され、おばあちゃんは病院に行った。後はあなたも知っているとおり、お母さんはおばさんのところに引き取られて育ったのよ。」

「それって、言葉につくせない体験だったんだろうね。」

私は言った。母はうなずいた。

「今も、時々あの家の中で目覚める夢を見ることがある。体を丸めて、がさがさした段ボールの感触を感じて、小さな窓から細く陽が入ってきて、おばあちゃんの、私のお母さんが描いた紫の花柄を照らし、絵の具の匂いがして、それから、お味噌汁の匂い。おばあちゃんの立てる楽しそうな、活気のある物音。おじいちゃんが来るのを待っていた時のようだった。そして、私はそこから、出ようとしても出ることができない。出てしまって、金切り声でおばあちゃんが泣くのがこわかった。私はその中で一日中、じっとしている。体を丸めて、じっと……。今日は出ることができるのかな、と思いながら目覚めて、そして、ここを出る時はおばあちゃんと別れる時だって、どこかで知っていたわ。行き場がない気持ちだった。そっと出て、パリのおじいちゃんに電話しよう、と思ったこともあった。でもそれは、自分からおばあちゃんと別れることになる、ってお母さんは思ったの。死んでもいい、とことんつきあってやる、と決めたの。」

「そう……。」

母の性格の秘密を私はその時知った。母の一部は今もその家の中にいるんだろうということも。

「だから、お父さんが帰ってこない時、お母さんの世界はあそこに帰って行ってしまうことがある。この時間は永遠に続くという気がしてしまう。愛されているからわざとその時間の中に閉じ込められているというのはわかるけれど、苦しくてたまらなくなる。」

「お父さんにそのこと話した？」

私はたずねた。

「話してないわ。」

母は笑った。

「話したくないのよ。」

「どうして？」

「弱味を知られたくないの、なんてね。」

母は言った。母はこうと決めたらなんとしてでもやる人だった。結婚前に、そのことをなかったことにしたのだろう、と私は思った。死ぬまで、母はそれを父に言わなかった。

そんなことを考えている間にも、午後の光は夕暮れの金色に向かって、ゆっくりと熟していった。

私は木の下で、大きな葉をじっと見上げていた。木漏れ日が足元でおどり、美しいまだらを作っていた。何組もの恋人たちが腕を組んで通っていった。何匹かの犬が私のところにやってきては去っていった。

外国にいることを忘れてしまうくらい、静かな時間だった。

塔のてっぺんの十字架が陽を受けて光っていた。

もう少ししたら、ホテルに戻って父の買ったギターをほめてあげよう、演奏も聴いてあげよう。そして……。

私は今夜食事をしている時、母の過去を父に話すだろうか？

と私は考えた。

やめよう、父が悲しんで後悔するだけだ、と私は思った。自分の中の小さな闇が、母の中の闇に呼応して苦しみ合ったことや愛し合ったことを悔いるだけだろう。

私にとってのそれはなんだろう？　期待されると帰宅できない性分でもなく、箱がこわいわけでもない。でも、私の中からいつかそれは姿を現すだろう、と私は思った。それが成長していくということだ。私はそれとどう向き合うのだろう？　どう対処するのだろう？　私はまだ若く、恐れを知らない。楽しみですらあった。見てみたいと思った。外から見たら大甘の平和すぎるほど平和だった私の家族の中に小さな深い闇があり、その闇はこの墓地にある静けさと同じくらい、歴史を秘めて豊潤なものだった。それは恥じるべきことではない。

陽にきらきら光る葉に守られて、いつまでも私はそのことを考えていた。

LA MUNICIPALIDAD DE BUENOS AIRES
CORONEL FEDERICO DE BRANDSEN

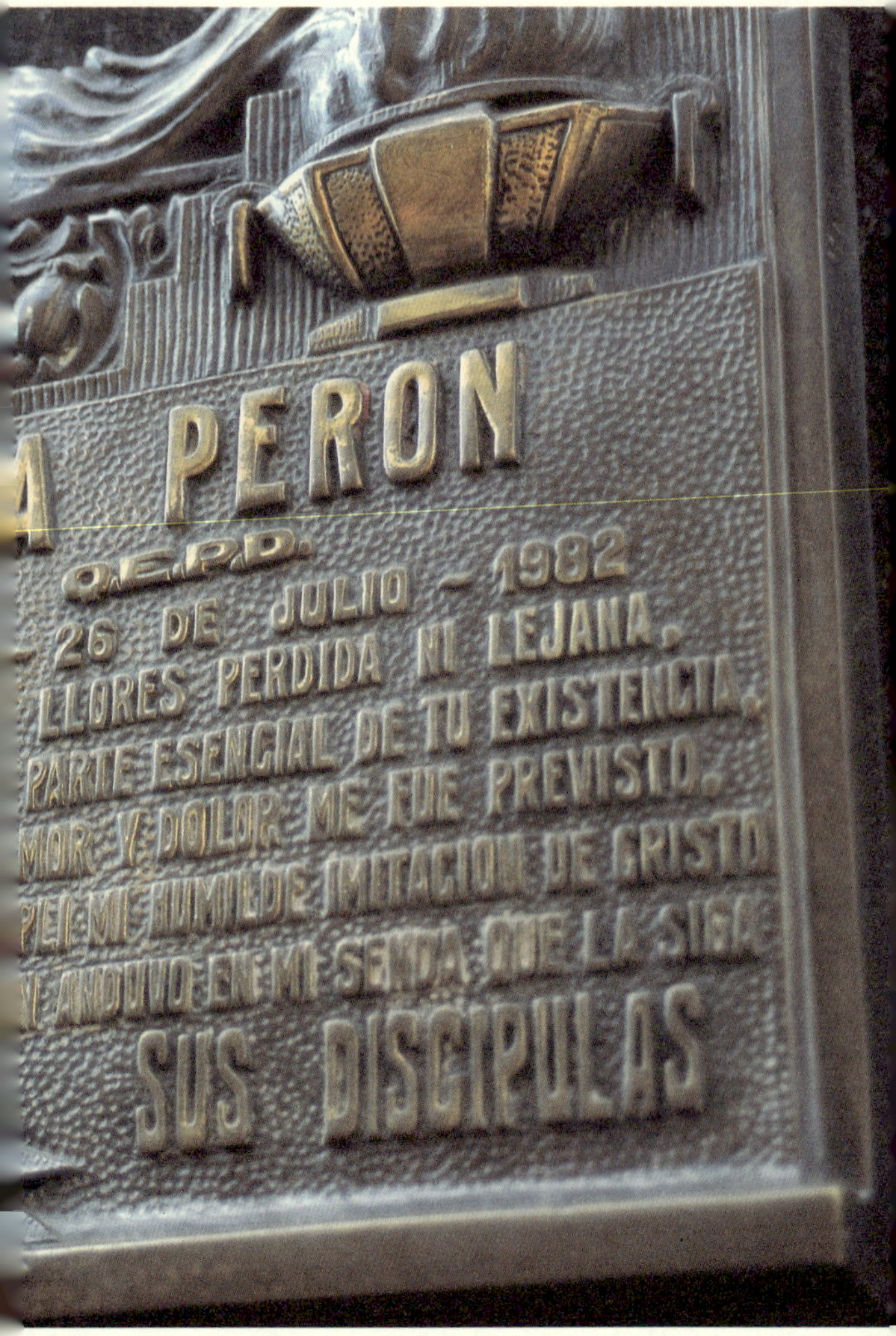
PERON
Q.E.P.D.
26 DE JULIO - 1982
LLORES PERDIDA NI LEJANA,
PARTE ESENCIAL DE TU EXISTENCIA.
MOR Y DOLOR ME FUE PREVISTO.
PLI MI HUMILDE IMITACION DE CRISTO
ANDUVO EN MI SENDA QUE LA SIGA
SUS DISCIPULAS

プラタナス

そのメンドーサというところは、歳が離れた夫と訪れるのにはぴったりの街だった。どうしてそこに行くことになったのかおぼえていない。寝る前に二人でTVを観ながらお酒を飲むいつもの時間に、ここ半年はたいていアルゼンチンのガイドブックを眺めていた。その中で、きれいそうな街だね、という感じでなんとなく話が決まったような気がする。

夫は死んだ奥さんと結婚していた頃、ブエノスアイレスに赴任していたことがあった。現地の工場を管理していたのだそうだ。その頃の話を聞く度、私も新婚旅行のように、観光客用の派手なタンゴのショーを彼と並んで見てみたい、と思った。しかしよく考えたら私は三十五、彼は六十、二人とも出無精とあっては、なかなかチャンスがない。

思いきって春に行こう、と冬の間ずっと、楽しみにしていたのだった。

ブエノスアイレスのにぎやかさに疲れていた私たちは、その、山が近い平和な街での滞在を延ばそうと決め、いる間は毎日ゆっくりと散歩することにした。

泊まっていたのは大きな公園の前にある古いホテルで、外観はたいそう立派だったが、部屋は学生寮みたいな素朴な感じだった。窓ががたついていて完全に閉まらず、夜は寒かった。窓の外には葉を寒そうに揺らす細い木の枝がいっぱいに見えた。そして、身を乗り出すと、はるか向こうのほうに、雪山が見えた。窓の外を見ると、ひんやりとした空気でいつもほほが赤くなった。

そう、その街にはとても寒い、独特な風が吹いていた。

黄昏《たそがれ》に歩いていると、その冷たい風も、美しい空気も、行き交う人々の生気のなさも、骨にしみてくるようなはかなさがあって、天国とはこういう雰囲気だろうか、と思った。昔大きな地震があって街が埋まったことがある、というのもなんとなくわかった。すべてが薄くて、本当の街の淡い影でできているような感じがした。

私たちはそのことを特に言葉には出さなかったが、お互いに、とてもこの街を気に入っていた。特にこの寂しい感じがよかった。ぞくぞくするような気持ちよさがあった。東京にいると、私たちの生活は活気がなさすぎて、まわりに圧倒されてしまう。もちろん私たちとて人間だから日常があり、けんかしたり、友達に会ったり、笑ったり、大騒ぎしたりするのだが、なにかこの結婚生活にははじめから妙な静けさがあった。私は、小さい時から身が細るような寂しさや、夕方の静けさや、秋の空の高さや、ひとりで歩く夜道が好きだった。彼の中にはそういう匂いがあった。それが彼と結婚した理由のひとつだった。

メンドーサでは、毎日早く起きて、たくさん服を着込んで公園をゆっくり歩いた。そして、にぎやかな通りまでゆっくり歩いて行って、決まったカフェで温かいチョコレートを飲んで、パンを食べた。夫は細いのによく食べるので、それを見ているだけで楽しかった。それで、ずっと、そこにすわってぼんやりして、午後になったら街を歩いて、ホテルに帰って昼寝をする。それが基本だった。

もしくは午前中の遅くに起きだしてホテルを出て、博物館だの広場だのワイナリーだのを観光する。それはそれでゆっくりした一日だった。

いずれにしても夕方疲れたら、バーで一杯飲みながらガイドブックを見たり、店の人に聞いたりして、どこで晩御飯を食べるかを考える。この街ではそんな生活が少しも贅沢なものではなく当然のことのように感じられた。

おかしなもので、ブエノスアイレスで新婚……ではもはやどちらにせよないのだが、新婚旅行らしくタンゴを見たり、ボカ地区で色とりどりの建物を見ていた時よりも、その毎日のほうがよほど新婚らしい感じがした。東京での似たような生活では得られなかった妙な充実感が私たちに訪れていた。街と、気候と、古い建物とが一体となって生み出される雰囲気がこの平穏な生活に色をつけていた。その寒さ、山の空気や空の高さ。それから街路樹の大きな葉が風に舞いながらどんどん散る様子が、本当に心にしっくりとしみてきたのだった。ずっと長い間、この街でこういう暮らしをしてきたような気がして、東京での生活が日ごとに遠くなっていった。

「ここって山梨みたい。懐かしいんだよね。」

ある朝夫はカフェでしみじみと言った。

夫の実家は山梨にあった。もう今は誰もいないので、行くこともなかった。

「空の色とか空気がなんとなく似ているんだなあ。なんてことないところだけれど、飽きない街だねえ。」

そうなのか、と思いながら私はまた夫の向こうに知らない景色を見た。

私がまだこの世に生まれる予定すらなかった頃に、夫はもうこんな景色の中に身を置いて、私の知らない文化の中で生活していたのだ、と思った。

☽

もちろん私の両親はこの結婚に反対したし、夫の唯一の身内である夫の姉も、反対だった。それはそうだろうと思う。

私は、何回か若い人ともおつきあいしたが、その活気がたまらなかった。どんなに楽しく過ごしていても、私は窓ガラスの暗さや、渡ってゆく鳥が空に溶けてゆく様子や、蛾の羽が風にひらひらと耐えている様子などに興味を移してしまった。はじめはそういう気持ちを熱く包んでくれる人々も、やがて「君といると寂しくなる、つまらない」とかなんとか言って、あるいは言わなくてもそう言いたそうにして去っていく。

夫は若い女好きのエロじじいには違いなかったが、それでも、歳が上のせいか、どこか静かなところがあった。別に品がいい人でもないし、活発で短気な面もあるのに、印象はいつでも静かだった。そして、彼の服からはいつでも、懐かしい匂いがした。私が大好きだったおじいちゃんの家の、タンスの中の匂いだった。小さい頃、遊びに行ってタンスに入っては、その匂いの中に心を休めていた。そして、子供心にもタンスの闇の中で私は思っていた。おじいちゃんが死んだら、この匂いがかげなくなる、それはそんなに遠いことではない、だからこそ、今、思いきりかいでおこうと。そう思うとすごく心細くなり、この世にはなにかずっと続くものはないのだろうかと考えた。そして私は記憶というものを発見した。私の細胞にしみ込んだこの乾いた匂いは永遠だと思った。そう思うと、タンスの闇の中で、少し心が強くなった。私が死んだ後のことなんてどうでもよかった。私が力強く吸い込んだこのいい匂いは、一生私を抱き続けるだろう、そう思えると、闇が暗ければ暗いほど、そこを出ておじいちゃんの笑顔に会えない日が来るのがこわければこわいほど、自分の存在が確かになった。

そして実際におじいちゃんが死んでからずいぶんたって、またこの匂いにめぐり合えるとは思ってもみなかった。

反対していたおねえさんがなんで結婚を許してくれたかというのがまた興味深かっ

た。ひとつは、私がすすんで、弁護士さんを通じて「彼が死んだ後は、今住んでいるマンションと、最低限の生活費だけしかもらいません。子供がいたら養育費をいただきますが、すべてを相続したいとは思っていません」という書類を作ってサインをしたことだった。私はまだ両親が健在な上にひとり娘だったので金銭で苦労をしたことがなかった。だからそんなこと考えてもみなかったし、夫がお金をそんなに貯めて隠しているというのも聞いていなかった。まあ、よく考えてみればその歳になるまでまじめに働いてきて、妻も亡くし、子供もいないとなれば、お金があってもおかしくはなかった。それにしてもそのおねえさんという人が、そんなにお金のことにうるさいように見えなかったので、人とはわからないものだなあ、と思っていた。

ある秋の夜、夫が風邪をひいて行けなくなったので、私はおねえさんと二人で秋祭りに出かけた。風が全くない秋の夜で、ずいぶん遠くからお囃子《はやし》の音が聞こえてきた。黄色い銀杏《いちょう》の葉をかさこそと踏みながら、話題のない私たちは黙って歩いた。山車《だし》やお神輿《みこし》とすれ違い、楽しそうな家族連れや参道にずっと続く夜店のにぎわいを眺めながらお堂まで歩いた。ただ華やかな夏祭りと違って、秋の祭りは風情があって好きだった。

綿菓子を買ったり、焼きそばを買ったりして食べているうちに、だんだん私たちはうちとけてきた。おねえさんは丸々とした体型で、夫よりもさらにおいしそうになんでも食べるので気分がよかった。それに電球にこうこうと照らされている露店の食べ物を見ているだけでも面白かった。それはふだんとは違う食べ物で、お祭りのためにできたおもちゃの食べ物のように思えた。

「あの人もお腹を空かせていると思うから、なにか買わなくちゃ。」

と私は思い出し、たこ焼きを買うことにした。

「おいしそうだから、私たちもつまみましょう。」

と私は言った。夜店のたこ焼きは中が妙に生っぽくて、そこがおいしい。熱いうちに、あるかなきかのたこを捜してやけどしながら食べるのがいいんです、と説明した。

たこ焼き屋のおじさんは、器用にたこ焼きをひっくり返し、魔法のように丸い形を作り、青のりとソースをかけた。

私は十五個入りを夫に持ち帰り、十個入りを自分たちで食べようと思っていた。

そして敷石の脇に寄って人波をさけて、食べましょう、とおねえさんに言った。するとおねえさんは、

「あの子には十個でいいわよ。私たち、あそこにすわって十五個食べましょう！」

と言った。私は少しでいいです、彼にたくさん食べさせたくて、と言おうとしたが、その時のおねえさんの言い方やむきになった目の光に、なにか懐かしいものをふと感じた。私にはうんと年下のいとこがいる。幼い頃に彼女をお祭りに連れて行くと、よくこういうことを言い出したっけ。

「そうしましょう、食べちゃいましょう。」

私は言った。にっこり笑ったおねえさんの顔が、夜店の電球に照らされて子供みたいだった。たこ焼きの数は食べ物ではなくて、ひいきの数、焼きもちを消す数だった。愛情をはかる数だった。

私は腹いっぱいにたこ焼きを食べながら思った。そうか、この人たちのお母さんときっと私はどこかが似ているんだわ。そう思うと、目の前の、深いしわが刻まれたこのおばあさんの、子供の頃の顔を見たような気がした。古びた服の紫色も、丸くなった靴の先も、大きな布のかばんも、愛らしく思えてきた。おねえさんは数年前に夫を亡くし、ひとり娘は嫁いで関西に行ってしまって、お手伝いさんが通ってくるだけのひとり暮らしだった。反対したのは、たこ焼きと全く、完璧に同じ理由だったことを私は悟った。その程度のことだというのがよくわかった。お金が惜しいだけではなくて、もう他に家族がいないから、自分をいちばんに思ってくれる人がいなくなるのがこわかったのだろう。私はこの人たちの子供でもあり、親でもあるのだと思った。この人たちが人生に置いてきてしまったなにかをこれからも生活の中でわかちあっていくのだと思った。そして具体的には夫に大判焼きも買って帰った。それもまた、お土産用に別におねえさんにも包んであげた。大切なのは食欲ではなくて、気にかける気持ちだった。そういうものを生活から失うと、人はどんどん貪欲になってしまうのだ。おねえさんはその日から、なんとなく反対をやめて、しょっちゅう電話をしてくるようになった。あの瞬間を読み違えなくてよかった、と私はいつも思う。人が心の奥の暗さをむき出しにしためったにない瞬間だった。目をそむけるのは簡単だが、そのまた奥には、赤子みたいなかわいいものが潜んでいる。私の滋養となる寂しい光が輝いている。

☽

いつものようにある朝、街中のカフェの外に面したテーブルにすわっていたら、犬がやってきた。そして、私のコートのすそに丸まって動かなくなってしまった。変な顔の雑種だった。パンをやっても食べず、なでてくれと頭を猫のように押しつけた。

「連れて帰って飼ってやれないだろうか。」

夫は真顔で言い出した。

そういうのが彼のかわいいところだった。

「検疫で何ケ月も止められてしまうから、この子のほうがかわいそうよ。この街がこの子の家なんだから、連れて帰ったほうがよっぽど不幸にしてしまうかもしれない。」

私は言って、頭をなで続けた。小さな頭だった。体は痩せてひきしまり、たくさんの旅をしてきた雰囲気が漂っていた。持てるだけの愛情を、一生飼ったのと同じくらい注ぐつもりでなでてあげた。

「そうだね、でも、こういう子がいれば、俺が死んでも君がひとりになることはないじゃない。」

彼は言った。

「やめてよ、気が早い。だいたい、犬や私が先に死ぬことだってあるのよ。」

「そうだけど、君と結婚してから、はじめてそういうことを考えるようになったんだよね。」

「先のことを考えるなんて、やめて。」

私は笑った。犬は寝てしまった。コートのすそが引っ張られて重かったけれど、じっとしていた。ストーブが赤くついていて、顔が熱かった。街を行く人は中途半端なこの季節にふさわしくばらばらな服装をしていた。春先のような服の人、冬服の人、セーター一枚の人……みな行くところなどないようにゆっくりと歩いていた。夫はハムの入ったサンドイッチをわざわざ犬のために頼んだ。自分はひとくちしか食べず、犬の鼻先に置いた。犬は起きだして、しっぽを振りながらハムだけ食べた。そしてまたなでてくれ、と頭を出して、しばらくするとさっと立ち上がり、すたすたと走っていった。

「愛情を補給していったのね。」

私は言った。

「そうだね。」

と寂しそうに彼はうなずいた。

「そんなに寂しいなら子供でも産もうか？」

私は言った。

「俺は自分のことばっかり考えてきたからなあ。子供に君をとられるのがいやだなあ。」

彼はひとりごとみたいに言った。

☽

午後は曇ってきて、よりいっそう肌寒かった。ひまだったので、栄光の丘というところに行ってみた。寒いので、駐車場には車の中から出ないカップルがたくさんいた。みんな冬の鳥みたいにじっとして寄り添っていた。このきれいで退屈な街でみな休日を過ごしている。丘の上には驚くほど大きなブロンズの像が立っていた。サン・マルティン将軍が五千人のアンデス軍をひきいてチリ救援へ向かう時の勇ましい様子を描いたものだそうだ、と夫がガイドブックを見て教えてくれた。将軍のまわり中にもまたたくさんの像が作られていた。大勢の人々や馬が空高くを見て走っていくところだった。それらは一体となってごちゃごちゃに見えて、その勢いのいい、動きのある様子が静止していることのほうが不思議な感じがするほどよくできていた。人々の毛や馬のたてがみが強風の中で見ると、本当に風になびいているように見えた。

それは勇ましさに相反して、ずっとこの土地でこの場所にい続けることの空《むな》しさのようなものを感じさせた。この、もうなにかが過ぎ去った街、終わっている世界を見つめ続ける。はるか街並を見下ろすと、夕方近くの金色の光が曇り空からわずかに射して、すべてがセピア色に見えた。そして、山々が白い雪をところどころに残してやはり陽を受けて輝いていた。

私と夫は階段にすわり、それを眺めていた。

「寒いね。」

「本当に、肌寒いわね。」

「街に行って、あの飲み物を飲もうか。なんだっけ、ホットミルクに自分でチョコレートの硬いやつを溶かしこむやつ。」

「ああ、サブマリーノ。」

「今回の旅行ではたくさん飲んだね。」

「癖になっちゃったのね。」

「あれ、日本にはないからね。」

いつだっただろうか、まだ交際中だったか、バレンタインデーだからチョコレートでも食べようか、とふと思いつき、私の部屋でかわいいチョコレートの箱を探し出して開けてみたら空だったことがあった。私たちはどうしてもチョコレートを食べたくなって、コンビニエンスストアに歩いて行った。寒い夜で、風が吹きすさび、星がうるさいくらいにまたたいていた。空気は切れそうなくらいに澄んでいた。棚に並ぶチョコレートはどれも今ひとつおいしそうじゃなくて、私が欲しいものはないわ、と言ったら、彼は、そうだ、牛乳と粉を買って、おいしいホットチョコレートを作ろう、と言った。そして二人で温かい部屋に帰って、ていねいにミルクをわかし、ココアの粉とシナモンやカルダモンを入れて、特においしいホットチョコレートを作った。ふきこぼれないように気をつけて、甘くなりすぎないように気を配って、カップを温めて……その間中、なにかの儀式をしているように集中していたのでよりおいしく感じた。こうして後で思い返すと、うんと長い間飲んでいたような気がする。なんで集中した楽しい思い出はよみがえるといつも少し寂しく感じさせるのだろう？

「この丘からホテルは見えないのかしら。」

「こんなに木が茂っていてはわからないな。」

「ホテルの前の道の並木、なんていう木かしら。」

「ああ、あの大きな葉の。あれは、あれだよ。プラタナス。」

「歌に出てくるね。」

「プラタナスの枯葉舞う、冬の道で……だね。」

「耐えきれず、振り返る……んだっけ？　旅に出る？　振り返ってもそこにはただ風が吹いているだけ、だよね。この街ではずっとその曲を思い出していたわ。」

「世代がこんなに違うのに同じ曲を知っているなんていいな。」

嬉しそうに彼は笑った。その横顔の向こうに風に激しく揺れる木々と、はるかな山と、曇った空が見えた。

「教科書に載っていたのよ。」

私は言った。

学校の教室で大きな声で歌っていた時には、あの西日の強い音楽室では、いつかその歌のとおりの異国の風景に自分が身を置くとは思ってもいなかった。

もはやあのホテルの前の道は、私にとってこの街のもっとも大きな思い出の風景だった。風が吹き、青空の色を背景に、あるいは真っ暗い夜の漆黒の闇を彩って、ただだっ広いまっすぐな道一面に手のひらみたいに大きな枯葉が狂ったように舞うあの光景は、頭を混乱させた。それを見ているとなにも考えられなくなった。あちこちに葉が舞っていることだけ、それらが目の前の世界中を一瞬埋めつくすのを見つめることしかできなかった。

「あの、大きな葉が舞うのを見るのは好きだわ。」

「うん、俺もだよ。街に降りて行って、またあの通りを歩こうか。それで今夜のことでも考えよう。」

「そうしましょう。」

二人は立ち上がり、彼の腕をとって私は歩き出した。

振り向くと、将軍は変わらず高いところで遠くを見つめて勇ましく馬にまたがっていた。こういう時間が永遠に続いてもいいと、私は思った。しかし、時間はいつかたいした時差でもなく彼と私の生命を無にかえし、そしてこの街であのブロンズ像はその時も髪をなびかせているだろう。その同じ風はあの道にプラタナスの葉をまき散らすだろう、そう思うと、死ぬのがこわくなくなる気がした。

ハチハニー

私は特になんという感情も持たずに、大統領府の前の広場にすわっていた。明らかに泥棒とわかるあやしい挙動の人が何人かいた。驚いたことに、泥棒というのは「あなた泥棒ね？」というまなざしでこちらが了解をしていることを知らせれば、決して近づいてこなかった。むしろ目が合う度にまるで知り合いのような表情でこちらを見つめた。せちがらいのか、のどかなのかわかりゃしない、この街、ブエノスアイレス。

私は花壇のふちにこしかけて、鳩や鳩のえさを売るおばあさんを見ていた。おばあさんは特になにも考えていないように見えた。今日一日を鳩のえさを売ってここで過ごすという事実があるだけだった。私ととても似た気持ちだったと思う。

広場の奥にはピンク色の壁をした大統領府が見える。映画「エビータ」ではマドンナがあそこで歌っていたっけ。どうしてあの映画を私は観たのだろう……と思った時、私は、また思い出してしまった。私の部屋のリビングで、その映画のビデオを借りてきて観た、あの雨の夜のことを。そのつまらない映画の途中で彼が帰ってきた。傘が風でこわれたと言って、体の右側がびしょ濡れだった。私はバスタオルを持ってきて、犬や猫を拭くように、彼の頭や体を無造作に拭いて、またソファに寝転がった。彼が部屋に入っただけで、雨の匂いが広がった。窓には透明な水滴がどんどん流れていた。道が静かに真っ黒に濡れていた。平凡ないつもの夜だった。彼は熱いコーヒーを淹《い》れて、私にカップを手渡した。そのカップは二人である日曜日に近所の骨董屋で買ったものだった。その骨董屋までの道は入り組んでいて、色とりどりの小さな花が咲いていたっけ、太陽の光にさらされて、道が白かったので、天国にいるような気がした。オレンジや黄色や、ピンクの花。緑の草が風に揺れていた。あまりにも思い出が多すぎて、合わせ鏡をのぞき込んでいるようだった。二人の歴史というほとんど無限に近い小さな世界の広がりがあって、今、そこから切り離された世界にいる。

　私はこちらに住んでいる友達を訪ねてこの街に来ていた。

　友達は、タンゴのダンスを習っているうちに、その先生であったアルゼンチンの男性と恋におちて結婚した。今では日本から来た人を案内する仕事もしている。公式にガイドになったわけではないが、けっこう忙しいらしい。案内すると、最後にチップという感じでお金がもらえるそうだ。だんなさんが生徒たちの公演につきそってツアーに出ていて留守なので、私は彼女の家に滞在していた。彼女は昼間は他の人を案内しているので、夜にならないと帰ってこなかった。私は昼間、毎日ぶらぶらしていた。気ままで楽しく、ずっとこういうふうにしていられたらいいな、と思った。特に彼女の家があるレコレータ地区は緑が多く、ただ歩いているだけで気分がよかった。私は考えないようにするために、ただ歩いた。足がだるくなって、頭がぼうっとしてくると、やっと自分に戻ったような気がした。夜は少しのワインを飲んだだけでベッドに倒れ込んだ。

これでいい、今はこれでいいのだ。見知らぬ街の見知らぬ物音を聞きながら、他人の家の居心地の悪いソファベッドの中で毎晩私は思った。時間をかせぐのだ、それしかできないのだから。野生動物がじっと傷をなめて、熱をもった体中を癒すために暗がりでただ待っているように、精神がじょじょに回復して、うまく空気が吸えて、まともなことを考えられるようになるまでこうしているのがいちばんいい。そう思った。

「今日は五月広場で二時から白いスカーフのお母さんたちの行進があるわよ。」

今朝友達が出がけに言った。

「あまり愉快な気持ちになるものではないけれど、私はそれを見る度にいろいろなことを考えるわ。本当にいろいろ。だって、それが起こったのはつい最近のことなのだもの。見ればわかるわ。くにの親のことも考えるわ。」

それで私はこうしてだらだらとここへそれを見に来たのだった。そしてやがて、白いスカーフを頭にかぶったお母さん……というよりももはやおばあさんたちが、ちらほらと集いはじめた。取材をしようとするジャーナリストや、警官の姿も見えた。曇り空に大統領府のピンクの壁がぼやけて見えた。牛の血を混ぜて作った色。そしておびただしい数の鳩が飛び立ち、その十数人の白いスカーフをかぶったおばあさんたちがだらだらと広場を回りはじめた。おじいさんも、親戚らしい人も、一緒に歩いていた。そしておばあさんたちの胸には古い写真がかかげられている。若い青年の笑顔の写真、着飾った若い娘の写真。とてもそんな恐ろしいことに巻き込まれたとは思えない、平凡なかわいらしい表情。

「あなたは日本から来たの？」

　ととなりにいた日本人らしきおばさんが日本語で話しかけてきた。

「そうです。」

「私は移民としてこちらの国に来て、郊外に住んでいるんだけれど、当時は本当に恐ろしかったのよ。突然軍事政権になってね。それまで少しでも左翼がかった行動をした学生やペロン派の人たちがたくさん消えたの。ちょっとデモに出たことがある程度でもね。ほとんどは帰ってこなかったわ。」

　おばさんは明らかに日本人なのだけれど、服装や表情やお化粧のちょっとした感じが、もう長く日本に住んでいないのだと感じさせた。

「ええ、映画で観たことがあります。」

　私はなんであんなものすごい映画を観たのだろう。さらわれた学生たちは半裸でひとまとめにされたり、犯されたり、ホースで水をかけられたり、目隠しをされて放置されたりしていた。その時、今、目の前の広場を歩いている親たちは、やきもきし、眠れぬ夜を過ごしながらも、いつもの家で生活をしていた。その期間にこの人たちの中で永久に、なにか大切な感覚がひとつ失われたのだろう。死んでいった子供たちが人生を失ったのと等しく、内面のなにかを失っただろう。

「うちの近所の森の中に、夜中、軍用トラックが来て、私たち家族はこわくて家から出なかったの。やがてすごい銃声が聞こえてきて、叫び声やうめき声が聞こえ、その後また大きな車が来て、静かになった。翌朝森に行ってみたら、たくさんの血のあとがあったわ。そうやって三万人もが消えていったのよ。」

おばさんは言った。

私は黙ってうなずき、行進を見ていた。

鳩も、泥棒も、移民のおばさんも、旅行者も、みんななんとなくそこにいるという気がした。広場を歩いて回る白いスカーフのお母さんたちも、もはや子供が帰ってくるとは思っていないように見えた。ただ、人生の時間を、どうしようもなくもどかしい心を、こういうふうにして表したり、なにがあったかをこのなんとなくの時間にまぎれさせるのを拒みたいのかもしれなかった。もうおばあさんたちになったその人たちは、娘や息子たちの写真を胸にかかげながらも、お互いに世間話をしていた。そこがかえってリアルだった。そういうものだろうと思った。それが時の経過であり、悲しみそのものの色彩だった。

☽

悲しみは決して癒えることはない。薄まっていくかのような印象を与えて慰められるだけだ。私の悲しみはこの親たちに比べてなんとひ弱なのだろう。根拠もなく、このような不条理さに支えられてもいない。ただぼんやりと過ぎていく。ただしどちらがえらいことも深いこともない。皆等しくこういう広場にいる。私は想像した。

ある朝、いつものようになまいきざかりの息子がコーヒーにちょっとだけ口をつけて、やせっぽちの体で、お気に入りのジーンズで、学校に出かけていく。母の目には小さい頃からの彼と同じに見える。思い出が全部その姿にあたりまえのようにつまっている。デモにちょっと出たことがあるなんて知らされていないし、彼自身も友達にくっついていっただけだったかもしれない。そして彼が二度と帰ってこない。それはどういう気持ちなのだろう。クーデター後の嵐のような政変が収まるまでは、誰にも確かなことは言えない。誰もこわいから助けてはくれない。恐ろしいうわさに右往左往しても、いいうわさはひとつも聞くことがない。幸運にも収容所から戻ってきた人はおびえきっていて、口から出る情報は身の毛もよだつようなものばかり……ほとんど同じ頃に高校生くらいだった私からあまりにも遠すぎる。それはインカ帝国の話とかではなく、大戦中でもなく、日本で私がまだ実家にいて、親に逆らったり朝帰りしたりしていたまさにその時にこの地球の上で起こっていたことなのだ。あまりにも広く、あまりにも大きすぎて、私はくらくらした。

そして、と私は思った。

そんな私たちのある午後が、なぜ、今、このけだるい曇り空の下、このなんの変哲もない広場で交差しているのだろう。

何回も回ってくるお母さんたちの中に、私の母にそっくりな太ったおばさんがいるのを見つけた。目の色以外、見れば見るほどそっくりだった。じっと見ていたら、仕草も似ている気がしてきた。

風邪をひくと、母はいつもはちみつをお湯で溶いたものに、ウィスキーを少し入れて、レモン汁をしぼったものを作ってくれた。高校生になってもそうだった。この子供たちが血を流したり拷問されているある夕方にも、私は母に甘えていた。それこそが世界というものなのだろうか。母はなぜかそれを「ハチハニー」と呼んだ。はちみつレモンなんじゃないの？　と何回言っても、この名のほうがいいと変えなかった。あの熱い甘い味が口に広がる気がした。世界中同じだ。母の匂い。少し生臭く、重く、甘く、どこまでも深い。それが今この広場で行き場をなくして充満してぐるぐる回っている。


「あんた、別れちゃだめよ。そんなことで。」

母は電話の向こうでそう言った。

「長い結婚生活にはいろいろある。別れるにしてももう二、三年待ちなさい。」

私は答えた。

「今より歳とったら後がないわ。」

「その歳でもう二、三年変わりゃしないわよ。」

母は言った。

しかしその時、私の頭に浮かんだのは、飼っていた猫が死んだ時、ソファに突っ伏して泣いていた私の髪の毛を、乱暴に、しかし指先は優しくなでまわしていた母の姿だった。

ああ、夫が私のことなどもう全然好きじゃなければいいのに。愛情が跡形もなくなっていたらよかったのに。夫の彼女がいやな奴だったらよかったのに。全部がわりきれないのが現実だ。夫の愛は、ここに来てからも毎日かかってくる電話からも伝わってくる。母の手のように無造作にではなく、自信なさげに、それが他人ということだろうか。家族を作ったと思っていたら、他人が気を使い合っていただけだった。でも私も気がゆるんで、共に過ごした長い年月に後押しされて、つい、今夜、このお母さんたちを見てしまった心のもやもやを夫に電話で言いたくなってしまいそうだ。混乱……。この混乱を抱えて、今夜も私は友達の家のあのベッドに横たわる。それでもなにか、このお母さんたちを見たことが、映画でも本でもなくこの目で、その声やスカートのすそが風に揺れる様や、世間話をして笑う様子を見たことが、なにか小さく私を変える核になったように思った。私はその時、私自身という人間の成り立ちを遠い、遠いところから見つめたのだ。

他のお母さんたちが広場の反対側、やはり黒い服に白いスカーフで、売店を開いていた。私はそこに歩いて行った。ビデオやパンフレットや絵ハガキやTシャツを売っていた。売り上げはこの運動の資金になると書いてあった。私がTシャツでも買おうか、と思って手にとっていると、白いスカーフのお母さんのひとりがなにか話しかけてきた。スペイン語がわからなくて困っていると、近くにいたジャーナリストらしい若い人が、英語に訳してくれた。

「最近は小さいTシャツが流行《はや》りだから、サイズSがいいんじゃないの、と言っています。」

私は思わず笑ってしまった。たくましさ、それから、若い子供が、いたことがあるということ……やはりお母さんはどの国でもお母さんで、それはとても悲しいことだ。私はお母さんになることがあるだろうか。いつか、また別の目でこの人たちを思うことがあるだろうか。なにもかも未定のまま、妙にすがすがしく、私はTシャツを買って、お礼を言って、広場を後にした。

Distal
BROS
Pirate
GIGANTES

VIAJAR
FLYING
KEYBOARD

日時計

ある暑い午後のことだった。私はお昼御飯を食べに、ボーイフレンドと散歩をしながら近所のサンドイッチ屋にたどり着いた。そこでは千円で、ものすごい量のサンドイッチとサラダとコーヒーを楽しめる。私たちは休日いつもそこへ行く。店は混んでいたが、外に面した席につくことができた。いろいろな人がてんでんばらばらにいろいろなことを話していた。目の前の公園の緑が、乱暴なくらいに茂っていた。こういう緑を見たことがあるな、そうだ、遺跡で見たんだっけ、と思った時、携帯電話が鳴った。

「もしもし。」

と雑音に混じって聞こえてきたのは、まさにその遺跡に一緒に行った、よしみの声だった。

「うそ、今ちょうどよしみのことを考えていたの。」

と私は言った。あながち、そうでないとは言えない。南米の凶暴な緑について考えはじめたところだったのだから。

「流産しちゃったの、私。」

よしみは言った。

「どうして?」

私は言った。

「わからないの、原因は。また一からやり直しよ。」

遠くブラジルに住む彼女は、力なく笑った。彼女は結婚してブラジルに渡り、ご主人と日本料理屋をやっていた。

「あの、御悔やみを、申し上げます。」

私は言った。まわりの人たちが一瞬聞き耳をたてたのがわかった。

「悲しいわ。さっきまで一緒だったのに、お腹の中で。」

よしみが本当に悲しい時は、より落ち着いた声になる。

「今、どこにいるの?」

驚いて私は言った。

「病院。かつぎこまれて二十四時間じっとしていたんだけど、だめだった。」

「彼は？」

「今、こっちは夜中なのよ。いないわ。」

「行こうか？」

私は言った。なんでそんなことを言ったのかわからない。電話の声が近いせいで、すぐに行ける気がした。いや、今来てほしいのなら、今、ひとりでいたくないのなら、すぐにそばに行きたかった。どうしてそこまで思ったのかはわからない。彼女のこわれかけた結婚生活をつなぐ、唯一の花が、希望の糸がその子供だったからかもしれない。運命はどうしても彼女が愛する男と彼女を一緒にい続けさせたくないのかな、と思った。あるいはなにが起こってもいさせたいのか。解釈は本人の仕事だ。私はただその白い手をとり、頭をなでてあげたかった。それだけでよかった。私の気が済んだだろう。夜中の病院でひとりだと感じさせてしまったことが、仕方ないと知りながらも悔しく思えた。次に会ったら、絶対にもう慰めも過去のこととなっている、いつもの二人だ。話題にも出ないだろう。わかっていた。今悲しいのなら、今、そこにいなくては意味はない。

「大丈夫、声が聞けたから。」

彼女は笑った。

「神様は悪いようにはしないよ。」

私は言った。

「それは優しい日本の神様のことでしょ。ブラジルの神様は、もっと残酷で大胆よ。」

彼女は言った。

「その神様にあやかって早く復活して。」

「わかったわ。大丈夫。だって仕方ないもの、もういないんだもの。また一から考えなくっちゃ。といっても、こっちは暑すぎて、どうせ全部がなりゆきまかせよ。」

よしみは言った。

「また電話するね。ありがとう。」

病院の廊下の暗いボロい国際電話を想像した。そこに立つ白いパジャマのよしみを思った。彼女のご主人には若いブラジル人の彼女ができてしまって、別れる切れるの大騒ぎの後、夫婦はよりを戻して、子供ができたところだった。お嬢様育ちのよしみは、死んだお母さんに「そい遂げるのが結婚だから、絶対に別れて帰ってきてはいけない」と言われたのをずっとまじめにとらえていた。ご主人に女ができた時にも落ち着いた声で相談された。お母さん死んじゃったんだから、もう守らなくてもいいじゃない、と私が言うと、もう少しだけがんばってみる、と彼女は言った。人生はたくさんの事件の連続で、愛する人になにが起ころうとまわりはじいっと見ているしかない。実際、身動きひとつとることもできない。気持ちがぐるぐる回ることだけが愛を示す唯一の証拠だ。

「おやすみ。」

真っ昼間におやすみを言う私に、ボーイフレンドはぎょっとしたようだったので、私は軽く説明をした。目の前にはいつの間にか山盛りのサンドイッチ、なにもなかったかのような爽やかな午後の光と、車の行き交う大きな通りが見えた。一瞬、知らないところを旅して帰ってきたような気がした。人の心の闇と、時差の闇。

☽

ついこの間仕事でブラジルに行った時、妊娠してすぐの浮かれている彼女とミッションの遺跡を見に行った。十八世紀に、パラグアイの山中に住むグアラニー族にキリスト教を広めるためにおもむいたイエズス会の宣教師たちが、グアラニーの人たちと一緒に作った居住空間の遺跡だった。やがてその地がスペインとの条約でポルトガル領になり、迫害がはじまるまではそこで平和な共同生活が営まれた。もともとスペイン人に奴隷として売買されていたグアラニーの人々にとって、その場所は駆け込み寺のようなものだったという。

車を止めて、その広大な遺跡に立った時、西洋と南米の古代文化が妙な融合をしているのがとても不思議な感じがした。なにか懐かしい感じすらした。天使や神様の顔が野性的だった。教会は素朴なつくりで、くずれかけた鐘つき堂には石の大きさがばらばらな階段がついていた。茶色い石の建物が整然と並ぶそのまわりには、恐ろしい勢いですべてを覆う、息が詰まりそうな緑色をした、草が茂っていた。巨大な日時計が誰も見ていないのに、当時からの時をじっくりと刻んでいた。平和も、争いも、血が流れた時も、またそれらがすべて済んで、誰ひとりいなくなった時も、こうして観光客が気楽に足を踏み入れるようになってからも、ただ太陽の動きを追いかけて、忠実に回っていた。そういう気だるい時の流れの中で、いつしか草がすべてを支配していた。マテの木がやはり力強く何本も立っていた。グアラニー語で「人魚の薬草」と呼ばれるその葉で淹《い》れたぬるいお茶を、私たちもドライブの間に飲んだ。運転手をしてくれたのは彼女のご主人がやっている日本料理屋の従業員で、かたことの日本語を話した。ポルトガル語で彼に話しかける彼女は、すっかりブラジルになじんでいた。妊婦だからビタミンCをとるのよ、と言いながら、その苦いお茶をストローで何度もすすった。

土色の柱が立ち並ぶ中、汗をかきながら、二人でゆっくりと歩いて行った。目に映るのは二つの色彩だけだった。濃い緑と土色の遺跡。朽ち果てた様々な彫像はとても大きかった。あまりの広大さに、自分の体が小さく思え、自分の歩みはとてもゆっくりに思えた。四千人の生活の息吹が、草の勢いに姿を変えて、今もここにあるような気がした。

私たちはすべてを見渡したくなり、鐘つき堂に登ることにした。階段はかなりきつく、彼女はお腹をかばうように、ゆっくりと登った。やがて階段を登りきると、そこにはまたもや同じ色彩の広大さが広がるだけだった。空《むな》しいほど広かった。遠くにさっき見てきた教会が見えた。

「ねえ、なんだか間取り図みたいね。」

彼女が柱にもたれ、低い塀にこしかけながら言った。

「そうね、上から見ると、まるで航空写真のように、ここ全体の設計図がよくわかる。」

あの四角は居住区、あれが礼拝堂、あれが墓地、あれが神父様の家があったところ……と指差して彼女は説明した。

「思い出すよ。中学生の時、二人で間取り図にはまったことがあったね。」

彼女は言った。

そういえばそうだった。私たちは放課後、やはりばかみたいに意味もなく屋上に登って、町を見下ろしたものだった。たばこを吸って、ワインを飲んで、ノートに住みたい家の間取り図を描いた。よしみの髪は今と同じように長く、風になびいていた。その間取り図にはいつも必ず、お互いの部屋があった。夕方、暗くなるまで、酔っぱらって気が違ったように私たちはそれに熱中した。

「こんな天井のないところに住んだら風邪ひきっぱなしだよ。」

私は言った。

「でも、こんなところで間取り図のこと思い出すなんて、あの頃考えてもみなかった。」

　彼女は言った。

「広いね、大地って感じだね。」

「景色と夕日だけは、どこにも比べられない。あと、この陽ざし、この強烈な空の色。いつもプールの後みたいな気分でいられる。」

　彼女は言った。

　私の心には恐ろしいほど鮮やかに、あの日のあかぬけない中学生が、屋上のコンクリートの地べたにすわって、みけんにしわを寄せて真剣に間取りを考えていた光景がよみがえってきた。それは二人の王国であり、理想世界だった。庭にはりんごとくるみといちじくの木があり、食うに困らず、天蓋つきのベッドはいつも真っ白いシーツが整えられていた。

「子供とあんたと、あの間取りの中に住みたいわ。」

　彼女が笑った。

「あの規模の家を東京に建てたら、何億あっても足りないよ。」

「でも東京でないと、西武とかないと困るし、映画も恋しい。ああ、本屋に行って日本語の本を思いきり立ち読みしたい！　くだらないドラマも観たい！」

私たちはその時、遺跡で、本当に楽しかった。ほとんど幸福と言ってもいいくらいだった。意味のほとんどないことを言ってげらげら笑ったり、黙って風に吹かれて朽ちていく土色の建物を眺めたり、下を行く人々がアリンコのように小さいのをじっと見たりして風と陽光にさらされていた。空は永遠に暮れないかと思うほど、青かった。たまにコンドルが旋回しているのが見えた。


その時には彼女のお腹にいたひとつの生命、一緒にその時をわかちあった誰かは、私と再び顔を合わせることもなく、ひとりで、ある暗い道を下っていった。いつか私も、彼女も、彼女の夫も、その恋人も、目の前にいるボーイフレンドも、今、サンドイッチを作っている若者たちも、道行く人々も、ひとりひとりが絶対にひとりでそこへ行くのだなあ、と私は思った。

そしてそうなっても、あのこんもりとした緑に覆われた遺跡の中、あの日時計はじりじりと針を回していくのだろう。それはくらっとするほど寂しいが、なぜかほっとする光景だった。そして今日も生きたり排泄したりする営みのために、私はサンドイッチにかぶりついた。

RICORDI
JUGUETERIA
MINIPHONE

窓の外

「もしかしたらものもらいになったかもしれない、目の中がごろごろする。」

真二が言った。

「今日の道のりはずっと、乾燥してほこりっぽかったからね。」

私はベッドに寝転んでいて今にもうとうとと眠りそうだったが、急に話しかけられたのでがんばって返事をした。見ると、彼は窓辺の椅子にすわり、目をこすっていた。フロアライトに照らされたその顔はとても疲れて見えた。しかし一日の旅を終えた彼の表情はゆったりと充実していた。ライトの柔らかなオレンジ色の光に包まれて、まるで暖炉の前にすわって火を見つめている子供のように幸せそうにも見えた。とても落ち着いた空気が部屋に流れていた。長旅の疲れや汚れをシャワーで洗い流して、まだ着替えるのが面倒臭くてバスローブだけ着て、遅い夕食までのひとときをくつろいで過ごしている時間だった。

「ものもらい用の目薬が、もしかしたらあるかもしれない、後で捜してみる。持ってきていないかもしれないけど。」

私は言った。

「そんなものがあるなんて知らなかった。もしあったらでいいよ。」

真二は答えた。

そういえば、この人生の中で、彼が目薬を使っているところなんて見たことがないわ、と私はごろりと寝返って天井を見つめながら思った。もちろんふだんどんな目薬を使っているのかも知らない。天井に淡く彼の影が揺れていた。

ひとりでない旅のいちばん好きなところは、孤独をこんなふうに全く忘れることができるところだ。責任は自分の命の分だけで、いつもひきずっているものをなにも持っていない、なのにひとりではない。いちばん平凡でなんということのない時間を、こうして共有できる。その喜び……安心が、お腹の底のほうからじわりとこみあげてくる。安全な国にいるわけでは全くないのに、とても安心している。清潔なシーツ、薄暗い照明、大きな窓、知らない天井、TVから小さく流れてくるスペイン語の響き。日に焼けた体の表面だけがほてっている。眠りの波がゆっくりと私の意識に寄せてきている。幸福な時に幸福と感じることはめったにないのに、その瞬間、私は幸福だと感じた。肉体と、精神と、時刻と、状況が全部上手につり合っている時、人はそう感じるのだろう。

彼に関してはまだ見たことがない光景というのがどのくらいあるのだろう？　と私は思った。彼のことはほとんど知らない。歳が五つ上だということや、つい最近ヨーロッパから本格的に帰ってきたということは知っている。日本人向けのツアーの会社をスペインの友達とおこして、ヨーロッパ、特にスペインを扱う会社としては、小さいながらもうまくいってまあまあ老舗《しにせ》になっていることや、それ以上手広くやるよりももっと足場を固めて落ち着いた会社にしようと思って、日本側に事務所を作るために最近帰国したということも、知っている。それから、三ケ月前にメキシコに旅行に行って、本当はここ、イグアスの滝まで旅をしようと思っていたのに、胃痛のため断念してロスから帰ってしまったことも知っている。彼は小さい頃にイグアスの巨大な滝をＴＶで観て、南米に来ることがあったら絶対に来ようと決めていたと言った。それでひまができた時、再度の挑戦に私を誘ったのだった。ブエノスアイレスから、イグアスの滝まで、じょじょに北上する旅。

私は、ただ彼がスペイン語を話せるから旅が楽なものになるなあ……くらいの気持ちでいたが、この旅は思っていた以上にすばらしいものになった。暑い陽ざしや、ぞっとするほど真っ青な空の下にいたら、体の組成が変わってしまったような気がした。暑いとか、寒いとか、明日はこうなるだろうとか、あんまり考えなくなった。ただ目の前のことをやるだけ、よけいなことは考えない、旅の間中、そういう空気が満ちあふれていた。真二は旅の友として、最適だった。全然気を使わせないようにする天才だった。私の小さな動揺や不機嫌も上手に見て見ぬふりをしてくれた。旅慣れた彼と行動を共にして、私は自分のことは自分でするということを学んだ。小さなことでも人を頼りにしているとどんどんストレスがお互いにたまっていくということを、彼はその自分のことは自分でやり、そのことを決して人に悟らせず、負担をかけないという行動で教えてくれた。はめをはずそうが、財布を落とそうが、彼は落ち着いていて、その切り替えにはいつもほれぼれした。

暗くて全然見えないが、窓の外には巨大な滝があるはずだった。

さっき窓を開けたら、ほとんど気のせいかと思われるくらい遠くに、ごお、と滝の音が聞こえた。こちらはアルゼンチン側の高級ホテルで、部屋から滝が見えるということだったが、着いたのが夜だったので窓ガラスにいくら顔をつけても自分が見えるだけだった。そこで窓を開けてみたら、いろいろな羽虫が入って来たが、気にせずにしばらく滝の音に耳をすませた。窓の外には闇が今まで見たことがないほど濃く、ずっしりと広がっていた。それから、かすかに水の匂いがした。窓を閉めても部屋にはその余韻が残った。

「信じられないほど暗い夜だね。」

真二が言った。

「日本のどんな山奥でもこういう重さはないね。まるでねっとりとうねっているみたい。」

私は答えた。

「押しつぶされそうなくらい。」

「朝顔のたねを、発芽しやすいように少し切って水につけておくと、朝、にゅっと芽が出ていることがあるけど、それを見ると、いつも、生命って尊いとか、美しいとか思わなくて、気持ち悪い、と思うんだ。厚かましくて、露骨で、強引だなって。でも結局感動するんだけど。あの気持ちに似ている感じがする、ここの自然は、なんだか、力が強すぎて、もしも自分が弱っている時だったら、強烈すぎて、胸焼けがしてくるようだろうね。」

「こんな自然の中では人間なんてつるつるの裸でおびえるかよわい生命だって心底思えてくる。豹や、サルや、えたいのしれない植物や、変な虫たちのほうが生き生きして見える。全然負けているって思えた。」

「日本の自然と全然違う。」

「日本の自然は、もっと線が細いよ。ここに長く住んだら、きっと、私たちだって、魂も外見も考え方もまるで変わって、そういうふうになるよ。」

ぽつり、ぽつりとそういう会話をしていた。

その後、話がだらだらと下ネタや共通の知人のうわさ話になってもトーンは変わらず、時間は静かに流れた。黙ったり、またふとしゃべったり、時間をつぶしている時の人間はとても自然だ。

私は話しながら、南米の文学を思い返していた。日本の柔らかく繊細な四季の中で読んだ南米の文学は、どこか理解できないところがあった。文章を超えてその全体のムードからしてすでに唐突で野蛮な生命力を持ち、美や生命に関してはもはや殺人的な力さえみとめているように思えた。狂気に近い精神の昂揚と、日々の地に足がついた生活が同時に成り立つ世界観があった。ここに来て、はじめてその感覚が強くよみがえり、少しだけ理解できるような気がしてきた。なにも人間の理屈でまとめようとしないその力を、男も女も大地からたっぷりと吸い上げ、毒々しい生命の花を咲かせている。この、様々な気配をごちゃ混ぜに含んだ濃い闇、ジャングルから届いてくるむっとする青臭い空気、多分存在する、目には決して見えない、おどろおどろしい色彩の精霊たち……。

私はそれをただただ近くに感じていた。この、冷房の効いた心地よい部屋の窓ガラスを今にも突き破って部屋にずるりと入って来そうな真っ黒い夜を。

☽

ホテルのダイニングはものすごく立派で、さらにものすごく暗かった。

ビュッフェのワゴンには前菜とデザートが美しく盛られ、それらを適当に取ってきてすわり、ちびちびと食べながらおいしいアルゼンチンワインを飲んでいたら、ぱりっとした白い制服を着たウェイターが、メインのオーダーを取りに来た。私がスカートをはいたのも彼がシャツを着たのも、とても久しぶりだった。こんな高い立派なホテルは旅の最後にとっておこうと楽しみにして予約したかいがあった。そのことを話し合う私たちは老夫婦のようだったし、実際に期待をはずさないよいホテルだった。自然と、設備と、風景とこの妙な暗さ静けさが溶け合って、ほとんどロマンチックと言ってもいいような独特なムードをかもし出していた。私たちは黙って食事をした。疲れて、ワインがまわってきて、しゃべる気にもなれなかった。でもお互いに気分が悪くない沈黙だとわかっていた。まるで夢のように薄ぼんやりと暗くて、そのせいでビュッフェのワゴンのところを歩き回る人々が、まるで幽霊のように影薄く見えた。ここしばらく南米の強烈な光と影のコントラストばかり見ていたので、こういう淡い世界にいると、肉体が消えてなくなりそうだった。目が慣れてきたら、だんだんと食べ物の色がはっきりと、とても美しく見えてきた。濃いオレンジ色の果物にできる影などが。

満腹になりかなり酔った私たちがレストランの外の庭に星を見に出てみると、芝が夜露に濡れてぴかぴか光っていた。何人かの人が空を見上げていた。アメリカ人の年寄りばっかりだった。こんな高いところに泊まるのにふさわしい歳があるということなのだろう。私たちはまるで彼らの娘と息子のようで場違いだった。それでも「南十字星はどれですか？」と聞いたら、とても親切に教えてくれた。思ったよりもずっと小さな十字を探してああだこうだと言い合っていたら、旅の喜びに心が浮き立ってきた。ずっと昔から、この人たちと、ここにいるような感じがした。

国立公園内なのだから、このへんの闇の中には蛇もいるだろうし、ピューマもいるだろう。そう思うとひんやりしたが、もしなにかあってもあきらめがつくような気がした。それはそれで仕方ないか、それがこの旅の中でつちかわれた不思議な受け身の姿勢だった。この厳しい自然と政治的な力関係のもたらす血なまぐさい悲劇に彩られた土地では、濃い青空にコンドルが飛び回り、生命の気持ち悪い匂いが充満しているこの空間では、自分が流れにふと飲み込まれてしまうか、すべてを振り捨てて強烈なひとつの力を持とうとするか、どちらかしかなかったのだろう。そう思ったら、今まで遠くにあった南米の文化が、自分の魂にぐっと迫ってきた気がした。

翌朝、目が覚めると光をさえぎる分厚いカーテンのすき間に人影が見えてぎょっとした。ああ、そうか、この人と旅行に来ていたんだっけ、と私は寝ぼけた頭で思った。私の数少ない彼との記憶の中で、早起きの彼はいつでもこの姿勢で窓の外を見ていたような気がする。そして、私はこの光景に弱い。彼を大好きになったのも、このポーズをよくする人だというのが、多少は関係あるかもしれない。背中を少し丸めて、ひざを抱えて、窓ガラスに顔を押しつけるようにして、今、彼の前には夢にまで見た大きな滝の一部が、遠くにしかしはっきりと水しぶきをあげて見えているのだろう。

私は起き上がって実際に窓の外を見る前に想像してみた。昨日は真っ暗で見えなかった、窓の外の壮大な緑と水。でも、今、彼の頭の中で起こっていることのほうが気になった。どんな気持ちなのだろう？　うしろ姿からはわからなかった。彼がわくわくしているのか、ぼんやりしているだけなのかさえ。

前に働いていた出版社でスペインのガイド本を出した時、たまたま長く日本にいた真二に取材をしたのが知り合ったきっかけだった。その時、私はすでに別居はしていたが結婚していて、真二もスペインで、会社の部下だった日本女性と結婚していた。しかしそういうことはほとんど障害にならず、二人は自然に会うようになった。

とてもとても静かなつきあいだった。

二人とも頭が悪いのではないかと思うくらい、盛り上がりもせず、なんの騒ぎも起こらなかった。きっかけもまるで中学生のように不器用だった。大雨の夜、雨宿りをさせてください、と電話がかかってきて、来るなら泊まっていってください、と私が答え、その夜はなにもせずに眠った。深夜TVを観て、焼きそばを作って食べて、いつの間にかぐっすり寝てしまった。その次の日のまだ大雨が続く暗い朝にも、彼はその姿勢で窓の外を見ていた。

「雨の日曜日って、外に出たくないなあ。まだしばらくいてもいい？」

彼は言った。薬指の指輪がこんなに気になるなんて、自分でもびっくりした。気づいたら、いつもじっと見つめてしまっていた。まわりの人の不倫話を聞いては、自分は違う、とずっと思ってきた。自分はわりきれるし、私の生活は静かだし、夫ともたまには会うし、いつかうっかり夫との間に子供でもできたらまた同居しよう……とのんきに思っていた私の人生に、きりきりと胃が痛むような朝が唐突にやってきた。雨は灰色の幕がひらひらするみたいに風に吹かれて街の中を流れていくばかりだった。木の枝がごうごうと揺れて、世界中が止まっているような画面に彩りをそえていた。部屋はぼんやりと明るく、彼の背中には骨の形が弓みたいにきれいに見えていた。

「いいよ。」

私は言った。そして並んですわって窓の外を見た。窓の外は思っていたよりもなんていうことがなくて、私は、雨がきれいだな、と思った。

そしてその瞬間、幼い日の思い出が突然鮮やかに胸に迫ってきて、まるで小さな女の子の感受性が戻ってきたような大きな感情の波に襲われ、私は少し涙ぐんでしまった。なんで忘れていたのだろう、なんで大切なことはどんどん忘れ去られてしまうのだろう。そういえばずっと昔に、こういうことがあったのに、と私は愕然とした。

そう、私の人生はとても平穏で、なんの不思議なことも起こっていないが、幼い頃、たった一度だけ、とても奇妙なことがあった。

それは私が七歳の時だった。祖母が危篤状態になり、いとこ同士の結婚だった父と母は、ひとりっ子の私を寝かしつけてから、病院に泊まり込んでいた。

私はかなりしっかりした子供で、留守番を全然いやがらなかった。その夜、いってらっしゃい、と両親を送り出したのをおぼえている。私は、祖母に買ってもらったふさふさした毛の熊と一緒にいつも寝ていたので、その夜も一緒に寝た。祖母になにかよくないことが起こっているのはわかっていたが、死の意味がわかっていたとは決して言えない。ただ、祖母にまた会えることをとても表面的に、無邪気な形で祈って眠った。

家の中に誰もいないと、まるで冷蔵庫の中で冷えていく果物のような気分だった。音もなく、誰にも気づかれず、ひっそりと時が過ぎ、冷えていく……浅い眠りの後にはっと目覚めた。夜明けだった。空に鳥の声が、高く清く響き渡っていた。私は無意識にとなりに寝ている熊に手を伸ばした。そしていつまでたっても手に触れないのではじめてとなりを見て、ぎょっとして飛び起きた。熊がなかったのだ。

私は寝ぼけながらも半身を起こして部屋を見回した。すると、なぜか熊は私に背を向けて、窓の外を見るかっこうで、ベランダに続く大きな窓に顔を押しつける形ですわっていた。誰もいないのに？　誰がそんなことを？　私はぞっとした。しかしこわがっているともっとこわくなってしまいそうなので、私は窓辺に行き、しばし熊と並んで外を見てみた。すばらしい夜明けだった。うすい青とピンクが雲に反射して、この世はなにかきれいなお祝いの呪文につつまれていて、なにも悪いことなどないように思えた。神様が色とりどりの透明なほうきで、昨日の夜のうちにおこった汚れをさっとはいた後のように思えた。

私は、熊が外を見たいなら見せておこう、とまじめな気持ちで一瞬迷ったが、その、窓の外を見ているうしろ姿がなんとなく淋しいような、切ないような感じがして、抱き上げてまた一緒に寝た。

祖母は夜中に亡くなっていた。

いまだにあれがなんだったのか、わからない。

幼い私が不安のために一時的に夢遊病の症状を見せた、というのがいちばん妥当な考えだと思うし、私自身もそう説明をつけて納得している。でも、私はなんとなく捨てるのがこわくて、その熊を今も自分の部屋に置いていたのに、どうして捨てなかったのか、そんなことはすっかり忘れていた。

あの朝、熊の前にはきれいなオレンジ色の雲が広がっていた。夜明けの美しさは息を飲むほどだった。まだ排気ガスで汚れていない大気は透明で、見ているだけでその吹きわたる風の冷たい感触まで伝わってくるようだった。それでも私はとても淋しい感じがした。祖母が死ぬということがこわかったのかもしれないし、家の中にひとりきりでなんの気配もないあの静けさのせいだったのかもしれない。私は熊をぎゅうと抱きしめて寝た。

人生の中でそうして感じる淋しさとは、あの熊のうしろ姿みたいなもので、はたから見て胸がしめつけられるようでも、もし前にまわれば熊は案外わくわくして外の美しい眺めを見ているのかもしれない。あるいはあまりのきれいさに歓喜を覚えているのかもしれない。多分、あの朝いちばん淋しかったのは、熊に顔を埋めて眠りについた私の心だったのだろう。親の親が死に、いつか親も死に、自分も死ぬ、そういう人生の真実の匂いが、子供だけの永遠に続く夢の世界にそうっとその肌を押しつけてきていた。その気配になにか底知れないものを感じたのだろう。

朝御飯もそそこに、私たちは滝を見に出かけた。一日中、いろいろな角度から滝を見るのだ、と彼ははりきっていた。しかし、滝はどこに行っても大きな「どどどど」という音に彩られ、あまりにも大きすぎて目でとらえきれなかった。ふだん東京で小さなものを見慣れている私の目には、滝の大きさを感じる能力がないような気がした。あまりの大きさに、縮尺とか距離感がつかめなくなってきて、夢の中にいるような感じがした。

公園の中を歩いていると、しょっちゅう滝のかけらというような小さな、それでもとても大きな滝があるのだが、水量はものすごく、バケツをひっくりかえしたような勢いで水が降ってきていた。橋に立つといつもびしょ濡れになった。水の色はなぜか茶色で、その濁った水が激流となって水しぶきをあげ、真っ青な空を背景に狂ったように流れ、そこに小さな虹がかかっている。

遠くのほうに見える巨大な滝にはいくつもいくつも虹がかかっていて、まるできれいな蝶が滝のまわりを飛んでいるように見えた。滝つぼは海かと思うほど大きく、滝のしぶきは幾重にも編まれた白い糸のようだった。まわりの人たちは「今日は水が透明でなくて残念だ」と口々に言っていたけれど、私にはその澄んだ空の色と茶色い濁流のコントラストが妙に快く、何回見ても感動した。それがそのまま、この滝の力強さを目に焼きつけるのにふさわしい色に思えた。

先週、まだブエノスアイレスにいた頃、バーで「先週滝に行ったよ！」という三人のオランダ人と会った。見るからにゲイの若い男二人と、車椅子のおばあさんだった。三人はものすごく陽気に何杯もビールを飲んでげらげら笑っていた。そしておばあさんがトイレに行きたくなったりすると、恐ろしく細やかにかつ敏速に彼らは動いた。変な組み合わせなので、関係を聞かなかった。真二が小さい声で、「オランダでは、身障者との旅行は、国がお金を出してくれるんじゃなかったかな。」と言った。しかしあまりにも楽しそうなその様子は、私の頭にギブ&テイクという言葉以外のなにも浮かばせなかった。そういう、べたべたしていないわりきった冷静さがあった。日本人だと、もしかしたらお礼を言い合ったり、気を使い合っているうちに、なにもかもだいなしにしてしまいかねない関係性だったが、彼らには見習うべきとさえ思える、よくわけのわからない大人のバランス感覚を感じて、すっかり話し込み、見入ってしまった。そして、彼らがあまりにも「君たちの革靴じゃだめだ、びしょびしょになって泥だらけだよ！」と言うので、私たちは翌日、街に靴を買いに出かけた。

メインストリートは人でごったがえしていた。若い人も年寄りも外人も地元の人も泥棒も尼さんも赤ん坊もカップルもぐしゃぐしゃに混じっていて、みんなきれいな色の服を着ていて、私は、本当にただぶらぶらしたいがために夕暮れの街に出てくる人たちとその表情を久しぶりに見た気がした。東京ではなんとなく、みんなが目的を持って動いているし、そうでない人はすっかり休んでしまっている。そうではなくて、なんとなくひまだからぶらぶらしに行こう、という感じの顔つきには独特な、人をなごませる感じがある。時間がぐにゃとゴムみたいに、のんびりとのびている感じだ。

パリのカフェで夕方人を待つ人たちの顔にも似ている。薄日が射して、今日はじめてのアルコールを注文して、一日の疲れが西日のきらめきの中に溶けていく感じだ。

その不思議な活気に私たちの心もつられて浮き立っていた。一杯飲めるのがではなく、仕事が終わったからでもなく、ディナーが楽しみなのでもなく、ただこの活気の中に身をひたすのが楽しいんだ、とみんなの日に焼けた顔が語っていた。

　私たちは靴の安売り店みたいなところに入って、なるべく安そうな運動靴を見ていた。私は青い靴が欲しくて、真二は赤い靴が欲しかった。とても格好わるくて全然似合わない店の制服をだらりと着こなした、まだ十代と思われるハンサムな店員さんが、走り回ってサイズを捜してくれた。靴を履くためにすわって見たら、顔の半分をぐるりとまわるとても大きな傷跡があった。

「交通事故？」と真二が聞くと、そうだよ、バイクの事故だ、命があってよかった、と彼は答えて大きな目を細めてにこにこしていた。それでなんということもないようにまた走って靴を捜しに行った。ごめんよ、赤い靴は店頭にあるだけなんだ、青いのをおそろいで履いたら？　と彼はまたにこにこした。まあいいか、とおそろいで靴を買った。その日からずっと同じ靴を履いていた。知らないことばかりなのに、靴は同じなのが奇妙だった。しかし彼に関しては私はよく初恋の少女みたいにそういうふうに思った。たとえば窓に映る彼の胸のあたりを見ていると、あれ？　あれは私の体では？　と思った。手もよく似ている。骨ばった首筋も似ている。靴を履いている足の甲の形も似ていた。そしておそろいの靴を見る度に、あの彼の、特殊メイクのような傷を思い出した。彼は、めったに、その事故を悔やまず生きていくのだろう、そんな感じがした。いつか治るさ、と思っているのか、金を貯めて手術しよう、と思っているのか、どうでもいいさ、と思っているのかはわからない。でも悩んではいない感じがした。ハンサムな顔で、にこにこにこにこにこしていた。おそろいにしなよ！　と言って。


滝を見すぎて目がおかしくなった私たちは、午後いちばんでヘリコプターに乗ることにした。お昼を食べてからホテルの庭でぶらぶらしていたら、青い、梱包によく使うような、ぺらぺらのロープが張ってある場所があった。通りかかった掃除のおじさんに「あれなんですか？」と真二はたずねた。すると、おじさんは「それはそれは痛ましいことがあったのさ！」とすごく暗い顔で答えた。

「なにがあったんですか？」

「ここで遊んでいた赤ん坊が、ピューマにさらわれたんだよ、真っ昼間にね！」

おじさんは言って、去っていった。

「あのロープの中にいても、外にいてもピューマには関係ないよね。」

「注意をうながしたいだけなんじゃない？」

「注意しても、結果は多分同じだよね。」

「そうだね。」

私たちは日焼けでほてった顔でうなずきあった。

空を見たら、コンドルが大きな羽を広げて飛んでいた。

真っ黒いシルエットでゆうゆうと旋回していた。

「帰ったら、一緒に住もうか。」

唐突に真二が言った。

「使っている目薬の銘柄も知らないのに？」

「なんとかなるだろうから。それに、そういうのを知るために一緒に住むんじゃないの？」

「私、まだ離婚してない。」

「しなよ。」

「するつもりだし、してもいいけど。あなたはなんなのよ。」

「離婚したよ。」

「えっ？」

「だから日本に帰ってきたんだよ。同じ会社でやっていくのむつかしいからさ。それに、向こうはスペイン人の彼氏がいて、娘も連れて、さっさと再婚したよ。」

「そういう事情を聞いては悪いかな、と思って、ずっと触れなかったのに。」

「君は触れなさすぎだ。」

「聞くのこわいんだもの。」

「今回帰国してからは、指輪もしてないのに、なんで気づかないんだよ。」

「気を使って私といる時ははずしてるのかと思ってた。」

「あっそう。」

真二は少し不機嫌になって、黙った。

私は展開の速さについていけず、やはり黙った。

でも、後で考えたら、この場面はけっこう幸せな場面かもしれない、などと考えていた。目の前には並んでいる足、同じ靴。この靴が古びてひもが切れて、捨てる時が来ても、まだ一緒にいるかもしれない、もしかすると。

同じ気持ちで窓の外を、見続ける、相手になるのかもしれない。

ここで二人の乗ったヘリが落ちたら、できすぎだな、と思いながら、前の人たちを乗せたヘリが戻ってくるのを待っていた。マカ族の物売りのお兄さんが、ピンクや緑や青や、きれいな色に編まれたプロミスリングを売りに来た。ヘリが落ちませんように、と祈りながら、腕につけた。私は高いところが大嫌いなのだ。しかし、滝を上から見てみたいという気持ちが勝った。ヘリだのセスナだのには慣れている真二は、とても落ち着いて楽しそうだった。

ヘリの音が聞こえてきて、耳を塞ぐほどになり、風に髪を巻き上げられながら、いよいよ乗り込む私の頭に浮かんだのは、この旅で毎日見た、車から見る、ジャングルに沈む夕日の景色だった。体も顔も日焼けで熱く、クーラーで表面だけが冷やされ、運転手はひっきりなしにマテ茶をすすり、スペイン語で他の車に悪態をつき、真二は眠りこけ、そして私は真っ赤な夕日がおどろおどろしいほどに濃い色で盛り上がっているジャングルに沈んでいくのを見ていた。信じられないほどの赤やピンクの光、雲に反射してめくるめく光景を繰り広げる世界。決して飽きることなく、毎日世界は展開していく、これを限りある回数しか見ることができない自分の生命のはかなさを呪った。そのくらい、それらは息を飲むほど美しかった。これを毎日見ることができるなら、唐突な死への恐怖も薄れると思うほどだった。夜になっていく透き通った紺の空に、星がライトのように浮かびはじめるまで、目が離せなかった。

私がプロペラのうるさい音に気をとられているうちに、ふっとヘリは浮き上がった。あっという間に地面は遠くなり、ヘリポートの「H」の形が白く地面に焼きついて見えた。マカ族の物売りのお兄さんの派手な衣装も、花のように鮮やかに小さくなっていった。

私はこわくて、まるで蛇のようにぐるぐると、真二の手に手をからめていた。滝もまた、濃い緑のジャングルの中にからみ合う蛇のようだった。赤土の色とグレーの水が混じり合って、奇妙な模様のように見えた。ジャングルを這う無数の虫のように、様々な方向にのび、踊るように地面を這い、やがて、それらのすべての滝が、あるひとつの巨大な裂け目に注ぎ込まれていく。なんとエロティックな眺めだろう、と私は思った。意味そのままの世界がそのままこの世に出現している。陰と陽、男と女、なんと呼んでもいい、相反するその二つの力がぶつかりあって地球を作ってきたその景色の迫力に、私はただ圧倒され、くらくらしながら、いつまでも目が離せなかった。真二の腕は熱く、人間の肌の気持ち悪い柔らかさが、脈をうつのが伝わってくる生々しさが、その時、プロペラのうるさい音の中で、ものすごい眼下の景色に小さく吸い込まれそうな意識の中で、妙に力強く感じられた。

あとがき

人々の間では「幻冬舎の石原さんがギターを買いに行くのにつきあっただけでは」と陰口をたたかれるアルゼンチンの旅でしたが、なんだか、とてもいい本になったと思います。旅も三回目にしてやっと小説のコツをつかめてきました。今回はけっこううまく書けたような気がします。どうか見放さず、これからもこのシリーズを読んでください。よろしくお願いします。

思ったことや見たことはほとんど小説の中におりこんだつもりなのですが、アルゼンチンにこれから旅をする方のために、少しあとがきを加えます。

ジャパンツアーシステムの皆様、とりわけ担当してくださった梶原さんとそのご両親、当時アルゼンチンにお住まいだったそのお友達の方々、貴重なお話をありがとうございました。高度成長期のお父さんたちのかっこよさを知りました。

ガイドの皆様にも本当にお世話になりました。

旅を共にした皆さんも、ありがとう！　女が私ひとりだったのでみんな優しくて、

すごい美人の人生を一瞬垣間見た気が。そうか！　女がいないとこに行きゃいいのか。

　車が行き交う道路の真ん中で写真を撮っていた山口昌弘さんにも、書いた小説以上にあのアルゼンチンの透き通った、しかし重い空気を描きだした原マスミさんにも、本当に感謝しています。私だけではできない本を作るすばらしさがどんどん極まってきました。旅程表を作成した鈴木喜之さんも、お疲れ様でした。この本を見た人が、アルゼンチンのことを全く知らない人として旅をした私と同じように、アルゼンチンを楽しめるといいなと思います。また、これから旅をする人がなにかで同じ場所に立ち寄った時に、「あの話の主人公がいたのはここか」と思っていただけたら、楽しいです。

　読者の皆様もありがとうございました。旅行はあごあしつきのへなちょこだけれど、小説はせめて、と希望を持ってこれからも書いていきます。


「電話」に出てくるフロリダ通りのホテルは本当は泊まりたかった Alvear Palace Hotel です。フロリダ通りは本当に活気のある楽しい道でした。レコレータ地区の墓地からずっと歩いたのですが、気持ちが浮き立つような散歩道でした。実際は Inter-

Continental Hotelに泊まり、元TAKE　THATにいて、ソロになった人……が同じホテルにいました。なので、追っかけのかわいい子たちが実際にずっとホテルを囲んでいました。その大スターにエレベーターの中から「上に行きますか？」と聞かれた原さんが、「お先にどうぞ」と言ってにこにこしていた場面を、私は見ました。音楽の世界の交流……。

ブエノスアイレスで印象的だった飲み物……それはサブマリーノ。ホットミルクに、ついてきた特別なチョコレートを溶かして飲むホットチョコレートのようなものなのですが、妙においしく、今でもたまに飲みたくなります。それになんとなく似た「SINDOR」という飲み物が瓶詰めで売られていましたが、それもなかなかおいしいものでした。

ルハンのマリア様は小さくて趣があって質素で本当にすばらしかった。

そして、コロン劇場は観光客の見学ツアーにさりげなく泥棒が混じっていてひやひやしました。共和国通りのオベリスクは、昔は登れたらしいのですが、四十年前に失恋飛びおり自殺をした人（すごい人だ……）がいたらしく、封鎖されていました。そのために山口さんは意にそうアングルを求めて、道の真ん中で写真を！

Panasonic
NEC

「最後の日」に出てくるティグレ川ツアーは、あまりにもいろいろな家があり、貧富の差もめちゃくちゃで、興味深かったです。

「小さな闇」にギターを買う話が出てきますし、旅程表にも楽器店が載っていますが、これは幻冬舎の石原正康さんが東京で、アルゼンチンから来たギター奏者に会ってわざわざ紹介してもらった、というだけのことはあるすばらしいお店でした。ジャガランダの木でできた見事なギターはどれもこれも芸術作品のようで、見せてもらっているだけで幸せになり、楽器を弾ける人がうらやましかった。もちろん彼はギターを購入。そのギターと私たちはずっと旅を共にしました。

レコレータ地区の墓地は「ここに眠れるなら死んでもいいかも」と思うくらい、静かで美しい空間でした。

「プラタナス」がたくさん植えてあった街、メンドーサ。けっこう、好きな街でした。住みたいくらい。少し足を延ばすと、アコンカグア山（旅程表には山の名のみですが、とても登ることができるわけもなく、市内からバスで二時間くらいで、やっとアコンカグア山をのぞむことができる程度……でも行くべき！）を見ることもできるし、その行程には橋の史跡や、先住民の遺跡や、スキー場や、温泉の跡地などがあり、これまでの人生で見たことのないものすごい風景をたくさん見ることができました。

また、泊まったホテルがすごい代物で、ものすごーく古い。

公園の真ん前にあり、寒い風が吹き、プラタナスの枯葉が舞っていました。しかし、いいホテルだった。窓ががたつく音も、小さなベッドも、雰囲気がこの街にぴったり。

それからなんということもない喫茶店なのに、この街の「CLASS」(歩行者通りSARMIENTOとSAN MARTIN大通りの交差点にあります)という店、ものすごく好きになってしまい、ひとりでも通ったほどでした。居心地、場所、メニューの感じ、適当さ、長居できること、混み具合など、どこをとってもよく、私の理想の喫茶店かもしれない、とすら。今でも秋になると行きたいなと思います。ここでもサブマリーノを飲みました。それから、有名らしいイタリア料理店「TREVI」。ホテルの下にあるし、ガラス張りだし、ウェイターは皆おじいさんだし、どうだろう……と危ぶまれましたが、料理もワインもおいしく、特に自家製ティラミスは、通訳のアレッサンドロくん、本物のイタリア人でかつ甘いものが大好きな彼が「おいしい！ 忘れられない！」と叫ぶほどのおいしさでした。最後の「窓の外」に出てくる靴屋は、実はこの街の靴屋さんです。本当に傷だらけの店員さんが陽気に働いていました。ここで鈴木くんとおそろいの靴を買いましたが、小説のように浮いた話はありませんん……。ビールの店も、実際にあり、実際にこんな奇妙な組み合わせのオランダ人たちがいましたが、妙にこの街の静けさにマッチしていました。

また、この周辺にボデガ（ワイナリー）がたくさんあり、見学したところはたままずかったのですが、基本的にこの国のワインはやはりおいしかったです。保存方法に問題があるのか、気候のせいか、年代物はそんなにおいしくなく、まだ若いワインがとても安く気楽に飲めるわりにはおいしい、という感じで、ほとんどはずれはなかったです。チリワインもたくさんありました。

「ハチハニー」というこの言葉、私の母の造語です。今でも、風邪をひくと飲みたくなります。黒い服のお母さんたち（みんなもうおばあさん）の行進には胸をしめつけられました。昔「ナイト・オブ・ペンシルズ」という半分ドキュメンタリーの悲惨な映画を観たことがあり、軍事政権の時代にさらわれた子供たちがどんなに恐ろしい拷問を受け、どんな死に方をしたか知っていたので、お母さんたちが今も悲しみの行進を続けると共に、もうやむなく子供抜きの日常生活を営んでいて、お互いに世間話をしたりもしているのが特につらく思えました。そしてせちがらいブエノスアイレスの泥棒たちは行進を見守る観光客を狙って大集合でした。

「日時計」に出てくるこの店は、三宿の某サンドイッチ屋……。そこで思いついた話です。ちょうど友達が流産したので、手紙を書くつもりで書きました。ミッションの遺跡で営まれていた生活は、私が思っていた「先住民の生活をこわすキリスト教」というイメージと異なり、なごやかなものでした。宣教師は肉体労働もオッケーの万能選手で、本当にグアラニー族の人々に好かれていたような、気がしました。うまくっていた仕組みだったのだな、とも感じました。束の間の平和があった場所、歴史の波間にちょっと顔を出しただけの生活形態ですが、こうして遺跡となって残るほどに意味のある空間でした。

遺跡から遺跡への国境で足どめをくらい、銃を持った兵士が車を没収。炎天下で次の車を待つ間、ずっとちょっとこわかったですが、石原さんが「まじー？　こんなとこで待ったらガングロになっちゃうー！」と女子高生をチャネルして笑わせてくれました。また、私はスーツケースを開けられそうになり、友達の画家でケルン在住の奈良美智さんが「日本で洗おう！　と思って、洗濯物もがむしゃらに詰めてきたスーツケースを荷物検査で開けられて、汚れた洗濯物がどっと出てきて、臭い匂いが漂って

すんごいはずかしかったー！」と言っていた時、笑って悪かった……と思いました。なんでも自分の身にふりかかってみないとわかりませんね。

「窓の外」に出てくるホテルは、Internacional Iguazú です。すばらしい!!! ホテルでした。詳細は小説内です。ここに二泊したいほどでした。

イグアスの滝については、やはりあらゆる角度から（アルゼンチン側、ブラジル側、ボート、ヘリなど場所も手段もいろいろあります）見るのをおすすめします。ヘリがこわくて乗っている間中ずっと、小説のように石原さんの腕に腕をからめていましたが、実際にはおっかなくて浮いた話どころではありませんでした。こわかったけど、すごい光景でした。

今でも、夢だったか？と思うくらい巨大でした。

最終日前日にパラグアイのシウダー・デル・エステというところに行ったのですが、すごーい、闇マーケット。バッタ物大集合。中には本当に高級なブランドが安く買えそうな百貨店もあったのですが、それすら偽物に見えるほど、目がおかしくなりました。露店という露店に並ぶ高級時計……「ネジにロレックスのマークが入ってないやつは十ドル、入ってるのは細工が細かいから十三ドル、もちろんどっちも本物さ!!」

と店の人。そりゃ偽物だっちゅーの！　歩いているだけで人だかりができて、なんとも言えない街でした。電化製品は、安くてちゃんと使えそうでした。住んでいる人たちが安い市場としてちゃんと利用していました。

　私も腹をこわしましたし（というか肉好きの私も肉ばっかり食べてさすがに胃をこわした）、そしてその痛みはだんだんしゃれにならなくなってきて最後のほうは貧血のようになりいつもうつろでしたが、通訳のアレちゃんはもっとひどくなり、夜中に何回も吐いてなにも食べられない状態で「飲み慣れたアルカセルツァーという胃薬が欲しい！　でも売っていない！」とブラジルでずっと苦しんでいました。やっと、空港に着いて自由時間の時ひとりでうろついていたら、薬局にアルカセルツァーがバラ売りされていたので「よかったね、アレちゃん」と思い、後で会って聞いてみると、「実は僕もアルカセルツァー見たんだけど、これが効くと言われてついこれ買った……」と謎の薬を見せてくれました。成分はよく読めないけど、ベラドンナって……毒なんじゃゃ？　というようなものばかり書いてありました。なんか、目の前に、ずっと求めていたものが出てきた瞬間、ふと魔がさすっていうあの感じ、わかるよ！　アレッサンドロ!!!　と思い、笑いました。人間の性《さが》ですね。

では、またお会いしましょう。読んでくださってありがとうございました。

一九九九年秋、東京　　吉本ばなな

R TIPS
L KEEP
E TANGO
LIVE!

文庫版あとがき

この旅は、旅なれなかったスタッフの鈴木くんのことばっかり心配して過ごしたせいで、なんだかかえって鈴木くんと楽しい思い出を創った旅だったという印象があります。アルゼンチンを思い出すと、いつも鈴木くんが浮かんできて笑顔になってしまう。すぐに憎まれ口をきいたり、変なところでぼうっとしている変でかわいい鈴木くんを心配していたおかげで、自分のことをあれこれ細かく気にしなくてよかったという気さえしてきました。この本は、鈴木くんに捧げたいけれど……でも。この小説集がドゥマゴ文学賞をいただいたとき、幼い頃から知っていて、近年仲たがいしていた安原顯《あきら》さんと久しぶりに和解し、楽しいひとときを過ごしました。その後彼は亡くなり、それが最後の思い出となりました。

この本を作ったおかげで、一生懸命あの旅をたどり、咀嚼《そしやく》し、自分なりに精一杯書こうとしたおかげで、私はかけがえのない人と、最後にもう一度だけ笑顔で会うことができたのです。

これこそが小説の魔法だと信じて、この作品集を安原さんに捧げます。

この旅を共にした仲間たちと、そしてこの本を創るのに関わってくださった全ての人に感謝します。

きつい旅だったけれど、アルゼンチンは崩壊前夜の不思議な勢いにあふれていました。そして、南米の自然を見たことは、私の人生を変えたと思います。なかなか行けるところではないので、行っておいて本当によかったと、今では心から思います！

幻冬舎の石原正康さん、ありがとう。そして、またすごいところに連れて行ってくださいな！

よしもとばなな

LIBRES
MUERTOS

おまけ♡旅の行程表

1998年

●4／18

17:45	新宿駅新南口集合
18:11	新宿発（成田エクスプレス）
19:31	成田空港・第2ターミナル到着
21:00	搭乗手続き（JAL064便）
22:00	フライト
15:10	（LA時間）ロサンゼルス空港着
17:40	（LA時間）フライト

●4／19（以下、時刻はブエノスアイレス時間）

8:20	サンパウロ（グァルーリョス空港）着
11:20	フライト（AR1441便）
14:30	ブエノスアイレス着 現地ガイドのトウヤマスマコさんと合流し、バスでホテルへ
15:50	ホテル「Inter-Continental」チェックイン
18:45	中庭に集合
19:00	徒歩にて外出～夜の五月広場付近を散策
19:30	喫茶「Café Tortoni」（市内最古のコンフィリテリア）※Submarino
20:30発	
20:50	徒歩でホテルに戻る
21:00	夕食、ホテル内レストラン「Mediterráneo」 ※トマトのサラダ、ファルファーレのドライトマトとブラック・オリーブ、カシスのカクテルなど
22:40	終了

●4／20

9:30	バスにてホテル出発
9:45	国会議事堂前
10:15	大統領府（Casa Rosada）、五月広場
10:25発	（この時だけバスを降り、地下鉄で移動）
10:40	コロン劇場（3大オペラ座のひとつ）
11:00	場内めぐり（英語ガイド）スタート
12:15発	バス移動
12:45	ボカ地区（カミニート、ボカ港など ※ボカ美術館はお休み）
13:15発	バス移動
13:40	スペイン料理「El Imparcial」※イカのフライ、ムール貝、パエリヤなど

15:00発　バス移動
16:15　ティグレ（貸し切りボートにてパラナ川めぐり）
17:25発　バス移動
18:20　ホテル着
19:50　再集合
20:00　バスにて夕食に出発
20:15　夕食「La Chacra」（レティーロ地区）
※ビーフステーキ、サラダ、チョリソー、アイスクリーム、ワイン（San't Elmo Martins）
21:50発
22:00　「Casa Blanca」着
22:15　タンゴ・ショー開演（手品、フォルクローレなど）
24:00　終了

●4／21

11:00　ホテル発（徒歩）
11:20　楽器店「Antigua Casa Nuñez」バルヴァネラ地区（クラシックギター）
12:30発
12:40　すぐ近くの喫茶店「Los Maestros」
※大きなピザ、すっぱいオレンジ・ジュース
13:15発　タクシーを利用
13:30　ホテル着
13:35　ホテル発（バスにてラプラタ観光へ）
14:50　こどもの国（エビータが子供たちのために作った小さなブエノスアイレス）
15:30発
16:00　モレノ広場、カテドラル
16:10発
16:20　Museo de Ciencias Naturales（自然科学博物館）
17:00発
18:30　ホテル着
20:10　再集合
20:15　ホテル発（徒歩）
20:30　イタリアン・レストラン「Broccolino」
22:55発　〜夜の町を散歩・買い物
23:45　ホテル着

●4／22

10:00　ホテル発（バス）
10:20　レコレータ墓地（エビータ墓参）

10:40発
11:55　牧場「Santa Susana」にてガウチョ・フィエスタ
13:00　昼食（アサード料理）
14:20　ガウチョ・ショー開始
15:15　終了　～屋外で馬術大会
17:00発　（バス）
19:10　ホテル着
19:45　再集合
20:00　出発（タクシーを利用）
20:15　日本食レストラン「北山」
※すし、天ぷらうどん、チキンライス、ヤキトリ、ギョーザ
22:00発
22:15　「Señor Tango」にてタンゴ・ショー
24:30　終了
25:00　送迎バスにてホテルへ戻る

●4／23

11:00　ホテル発（タクシー）
11:20　サン・マルティン広場
フロリダ通りで買い物（徒歩）
12:30　喫茶店「City Corner」※Sindor
タクシーでホテルへ戻る
13:35　ホテル発（バス）
14:40　洋品店「Silvia&Mario」（カシミア・セーター）
14:45　五月広場
15:30　五月広場の母たちの行進スタート
15:45発　（バス）
17:00　ルハン（大聖堂）
17:40発　（バス）
19:05　ホテル着
19:45　再集合
19:55発　（バス）
20:15　ブックフェア会場「Feria del Libro」
21:00発　（バス）
21:10　夕食「Cabaña Las Lilas」（プエルト・マデーロ地区）
※ビーフステーキ、サラダ、デザートにチョコクリーム、ワイン（Luigi Bosca）
24:05　バスにてホテルへ戻る

●4／24

11:00　ロビー集合、チェックアウト
11:35　出発（バス）
12:05　空港着
13:30　フライト（AU2422便　※20分遅れ）
15:30　メンドーサ着、バスにて市内へ
　　　（ガイドはビットレ・マルティンさん）
16:40　ホテル「Plaza」チェックイン
17:30　ロビー集合
17:45　広場、美術館など、付近を徒歩で散策
18:15　喫茶店「Class」
19:30　再び徒歩で移動
22:00　イタリアン・レストラン「Trevi」※ワイン（Lagarde）

●4／25

8:10　ホテル発（終日バス移動）
9:15　休憩
10:30　休憩「Hostal Los Condores」
10:55発
11:20　橋の史跡「Homenaje de Vialidad Nacional al Ejército Libertador」
12:15　スキー場（展望リフト）「Los Penitentes」
13:00　アコンカグア山
13:30　Sentenario（温泉場）跡
14:10　昼食「Hospedaje Hostalia」※ワイン（Toso）
15:25発
18:10　ホテル着
21:00　喫茶店「Class」に集合（徒歩）
21:15　「La Marchigiana」（イタリアン）
　　　※ワイン（Montchenot, Trapiche Medalla）
23:35　終了
24:00　ホテル着

●4／26

10:00　ホテル発（終日バス移動）
10:35　「Museo del Vino San Felipe」
　　　ボデガ（ワイナリー）見学
12:00　試飲会
12:50発

13:15　昼食「La Marchigiana」（昨晩の店と場所の違う系列店）
15:20発
15:40　郷土史博物館「Museo del Area Fundacional」（噴水の遺跡など）
16:45発
17:00　エスパーニャ広場
17:30　サン・マルティン公園
18:00　栄光の丘
18:30　ホテル着
20:30　徒歩でホテル発
20:45　夕食は市内のマクドナルドで
21:10　～散歩・買い物
22:00　Paseo Sarmiento 通り沿いにある生ビール・サーバーのあるバー
23:30　ホテル着

●4／27

8:40　ホテルをチェックアウト
9:10　空港着
10:15　フライト（AR1523便）
12:00　ブエノスアイレス着
15:40　遅れてフライト（AU2556便）
17:20　ポサーダス着
現地ガイド、サイトウノブオさんと合流
18:00　バスにて移動（アルゼンチン→パラグアイ国境通過）
19:00　ホテル「Novotel」着
21:00　ホテルにて夕食 ※シュリンプ・カクテル他

●4／28

8:15　ホテル発（終日バス移動）
9:10　トリニダー遺跡（エンカルナシオン）
10:00発
11:00　国境で足止め
14:05　国境通過
14:15　昼食「Espeto del Rey」（アサード）
15:25発
16:30　サン・イグナシオン・ミニ遺跡（アルゼンチン側）
17:10発
18:30　スタンド休憩
20:55　ホテル「Internacional Iguazú」着
21:20　ホテルにて夕食

●4／29

10:05　ホテルより徒歩にて外出、遊歩道を歩く
11:30　ホテルに戻る
11:45　バスで出発
12:05　三国国境点を展望（イグアス川とパラナ川合流地点）
12:15発
12:40　ブラジルへ入国
12:55　昼食「Miyako」（日本食）※みそラーメンなど
13:55発
14:30　ジャングル・クルーズ（ジープに乗り換え、ボート乗場へ）
14:40　イグアス川遊覧
15:20　終了
15:35　バスにてホテルへ
15:45　ホテル「Hotel das Cataratas」チェックイン
18:00　再集合
20:00　ホテル内レストラン「イタイプー」にて夕食
22:00　終了

●4／30

10:20　ホテル発（終日バス移動）
11:20　橋を越えて、パラグアイ国内の国境の町シウダー・デル・エステで買い物
12:15発　～再びブラジルに戻る
13:00　昼食「中国飯店」
13:45発
13:50　お土産店
14:20発
14:35　イグアスの滝、ブラジル側遊歩道
15:35発
16:00　ヘリコプター乗場（ヘリでイグアスの滝上空を飛行）
16:40終了
17:15　ホテル着
19:30　ホテル敷地内の半屋外グリルバー「Ipé」にて夕食
※ワイン（Cousino Macul）

●5／1

11:55　ホテルをチェックアウト
12:30　昼食「Galeteria La Mamma」（イタリアン）※ワイン（Marcus James）

13:55発
14:05　野鳥園（Parque das Aves）
15:10発
15:15　鉱物公園（Mineral Park）
15:40発
15:50　空港着
16:00　チェックイン
17:00　フライト（TR460便）
19:30　サンパウロ（空港着）

●5／2

0:20　サンパウロ発（JAL063便）LA経由

●5／3

13:15　成田空港着

以上。

この作品は二〇〇〇年三月小社より刊行されたものです。

不倫《ふりん》と南米《なんべい》

世界《せかい》の旅《たび》③

吉本《よしもと》ばなな

平成15年8月5日　初版発行

発行者――見城徹
発行所――株式会社幻冬舎
〒151-0051東京都渋谷区千駄ヶ谷4-9-7
電話　03(5411)6222(営業)
　　　03(5411)6211(編集)
振替00120-8-767643
印刷・製本――中央精版印刷株式会社
装丁者――高橋雅之

万一、落丁乱丁のある場合は送料当社負担でお取替致します。小社宛にお送り下さい。
定価はカバーに表示してあります。

幻冬舎文庫

ISBN4-344-40417-3　C0193　よ-2-7